우리가

왜

정치를 하는데요!

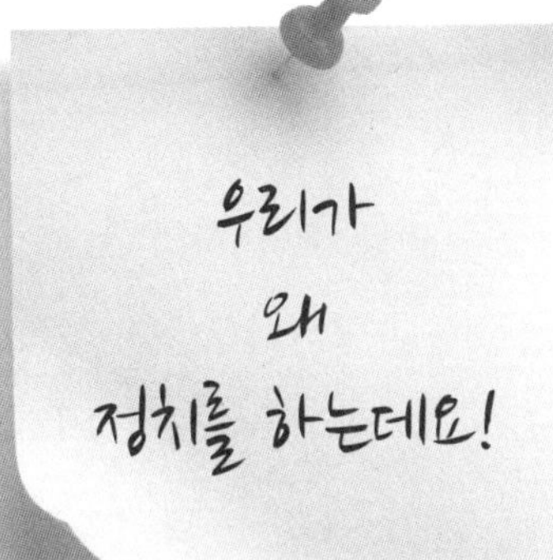
우리가
왜
정치를 하는데요!

김화랑(키코 피해기업 공동대책위원회 사무차장)

경제는 사람이 살아가는 이야기입니다. 경제정의의 기본은 사람에 대한 따뜻한 마음에서 시작합니다. 저자가 가지고 있는 따뜻한 마음, 불의에 맞서는 열정을 잘 알 수 있는 책입니다. 더 나은 내일을 위해 많은 사람들이 이 책을 읽으면 좋겠습니다.

공혜정(아동학대 방지를 위한 인터넷 카페 '하늘로 소풍 간 아이를 위한 모임' 대표)

남성 못지않은 자신감과 담대함으로 경제민주화의 길을 걷는 아마조네스. 저자가 아동학대로 숨진 서현이 어머니를 끌어안고 하염없이 눈물 흘리는 모습에서 눈물 많고 정 많은 어머니를 보았습니다. 어머니로서, 여성으로서, 경제 전문가로서 앞으로도 약자를 위해, 공정한 사회를 위해 노력할 것이라는 저자의 의지를 잘 알 수 있는 책입니다.

유덕현(중소기업중앙회 관악구 소상공인회 회장)

희망의 사다리를 잃어버린 서민들에게 새로운 희망과 용기를 주는 저자의 따뜻함을 이해하는 데는 이 한 권의 책으로 충분합니다. 경제 전문가 이혜훈의 명쾌한 우문현답을 모든 국민이 필독하길 기대합니다.

권구익(학교폭력 피해자 권 군의 아버지)

불안한 일자리, 불안한 사회, 불안한 노후, 위기의 가계부채…. 우리들의 삶은 고단합니다. 이 책은 어머니의 마음으로, 애정어린 시선으로 이런 문제들을 해결하려 노력하는 저자의 모습을 잘 보여줍니다. 또한 우리가 모두 함께 문제를 인식하고 해결 방법을 모색할 수 있는 계기가 되어줄 것입니다.

주덕한(전국백수연대 대표)

아프리카 속담에 이런 말이 있답니다. “빨리 가려면 혼자 가고 멀리 가려면 함께 가라.” 저자가 지금까지 걸어온 길이 이 책에 오롯이 담겨 있습니다. 이 책을 읽고 더욱 많은 사람들이 그 길에 동참하게 되길 기원합니다!

강승호(캔 엔터테인먼트 대표)

공정한 사회를 위한 저자의 열정이 느껴지는 책입니다.

배수영(숙명여대 법학과 4학년)

취업 전선에서 고군분투하고 있는 20대의 한 명으로서 이 책에 담긴 저자의 뜻이 청년실업 문제 해소를 위한 나침반, 청년에게 희망을 주는 베이스캠프가 되길 기대합니다.

키코 피해기업 공동대책위원회

이 책에서 하신 말씀처럼 '키코'와 같은 올바르지 못한 금융과 맞서 싸워나가는 지금의 열정 잊지 마시고, 금융이 바로 서는 내일을 만들어주시길 바랍니다.

"웬 정치?"

평생 연구만 하던 사람이 정치를 시작했을 때 거의 모든 사람들의 반응이었다. 까마귀 노는 곳에 뛰어든 백로를 애처로워하는 듯한 반응과 백로인지 알았더니 까마귀였네 하는 식의 반응이 묘하게 섞여 있었다. 정치를 시작한 지 10년이 다 되어가는 지금도 가끔씩 받는 질문이다.

왜 정치를 하는가.

10년 전에도 지금도 똑같은 이유다. 세상을 바꾸고 싶기 때문이다. 좀더 따뜻하고, 정의롭고, 상식이 통하는 세상으로.

경제정책을 자문하는 학자로, 세 아들을 키우는 엄마로, 직장과 가정 양쪽에서 눈칫밥을 먹으면서 동동거리는 직장여성으로 대한민국에서 살다보니 날이 갈수록 세상의 불합리한 점들이 더 눈에 띄고 바꾸고 싶어지는 목록은 늘어만 간다.

첫째와 둘째는 미국과 영국에서 출산하고 키운 반면 막내는

귀국해서 낳고 키우다보니 많은 차이를 절감했다. 직장은 만삭이 되어서도 매달 가는 등산에 빠지겠다고 말할 수 있는 문화가 아니었다. 결국 등산하기로 되어 있던 도봉산 입구까지 갔다가 산기를 느껴 택시를 타고 분만실로 직행해야 했다. 또 2달밖에 안 되는 출산휴가 중에도 "민간 의료보험 활성화 방안 A4 5매 3시까지" 이런 식의 지시가 오면 바로 보고서를 작성해서 팩스로 보내야 했다. 여성에 대한 편견과 차별을 불식하는 것은 단순히 보육시설을 짓는 것만으로 충분치 않다. 고위직과 상징적인 직위에 여성들이 대폭 진출하는 것이 더 빠른 방법일 수 있다. 나름 정치생명을 걸고 여성 대통령 만들기에 '올인'했던 가장 큰 이유이다.

재벌기업이 중소기업을 부당하게 대우하지 못하게 하고 갑의 횡포를 막는 수많은 법이 있지만 현장에서는 제대로 지켜지지 않는다. 그동안 재벌 총수들은 법을 어겨도 실질적으로는 처벌받지 않았다. 횡령, 탈세, 분식회계, 배임 등으로 대법원에서 3년 징역형의 유죄가 확정되어도 5년 집행유예로 풀려나는 것이 관행으로 굳어져 있었고, 판결문에 적혀 있는 이유는 그들이 없으면 회사 경영이 안 되기 때문이라는 것이었다. 수천억 원씩 회사 돈을 빼돌려 유죄판결을 받은 사람들이 없으면 회사 경영이 안 된다는 궤변도 문제지만, 법 앞에 만인은 평등해야 하는데도 유전무죄가 횡행하는 이 고리를 끊지 않으면 을의 눈물을 멈출 수 없다. 재벌 총수든 살아 있는 권력이든 그 누구든 법을 어겼으면 법대로 처벌하라는 경제법치를 1호 법안으로 하면서 경제민주화 논쟁을 시작했다.

어느 날 뉴스에서 본 고리대금 피해자의 이야기는 이 사회에서 경제적 약자가 얼마나 보호받지 못하는지, 자본이 얼마나 탐욕스러운지 분노케 하는 것이었다. 그날 이후 법정이자율 한도를 내리고, 불법 추심에 대한 처벌을 강화하고, 피해자에게 지워져 있던 입증 책임을 대부업자에게 넘기는 등 불법 고리대와의 전쟁을 시작했다.

시골 한 농협의 전무가 여직원들을 수년간 상습적으로 성추행해서 피해 여직원들의 가정이 파괴되고 심지어 정신과 치료를 받는 사람도 있다는 기사를 증권가 사설 정보지에서 보았다. 직접 현지에 알아보니 성추행의 정도와 빈도가 너무 심각해 이 지면에 옮길 수 없을 정도였다. 견디다 못한 여직원들이 소송을 해서 승소까지 했지만 농협 측은 오히려 문제의 전무를 감싸고 여직원들의 품행이 방정치 못했다는 식이었다. 재판 결과를 근거로 전무의 인사조치를 요구했더니 농협의 정관에 성추행은 인사조치 귀책사유로 열거되어 있지 않기 때문에 할 수 없다는 답변만 늘어놓았다. 미풍양속을 해칠 경우 인사조치 할 수 있다는 규정이 있고 그 경우에 해당되지 않냐고 주장해도 미동도 하지 않았다.

결국 연말 예산 심사 때 농협의 예산 지원 신청에 대해 성추행 유죄판결을 받은 사람에 대해 아무런 인사조치도 하지 않는 농협에 국민의 세금을 지원하기는 무리가 있다는 논리로 이의 제기를 계속했더니 해당자를 인사조치 했다. 피해자들이 눈물로 쓴 감사편지 중에 남편과 친정 식구들까지 자신의 품행에 문제가 있는 것처럼 오해했던 것이 풀리고 자신이 잘못한 것이 아니라 그 전무가 잘못했다는 것이 온 동네에 알려지게 되어 오늘 죽어도 여한이 없다는 구절은, 정치가 힘들다고 느낄 때마다 내게 힘을 주는 일종의 느낌표다.

정치는 이처럼 하루하루 살아가는 우리의 삶 속에서 이건 아닌데 하고 느끼는 순간, 뭔가 부당하다고 느끼는 순간, 바로 그것을 바꾸기 위한 작은 실천이다. 많은 사람들이 정치를 우리의 일상생활과는 동떨어진 추상적이고 관념적인 거대담론처럼 생각하고 나의 일이 아닌 남의 일처럼 여긴다. 오히려 이런 편견이 건전한 상식을 가진 선량한 사람들의 정치 참여를 가로막아 우리 삶의 잘못된 부분을 바꿔나가는 정치의 순기능을 저해하기도 한다. 정치를 까마귀들의 놀음이라고 치부하는 순간 내 삶은 까마귀들이 갉아먹어 버리고, 세상엔 반칙이 난무하게 되고 부당하고 억울한 일이 넘쳐나게 된다. 정치에 백로가 뛰어들어야 상식이 통하게 되고 그래야 세상은 정의로워지고 따뜻해지고 살 만해진다.

2014년 새해

이혜훈 올림

차 례

1.

서민의 눈물

"훈육이라는 이름으로 가해지는 학대 속에서 고통받는 아이들이 없는 그런 세상을 만드는 것, 이것이 '이혜훈이 정치하는 이유'입니다."

빚의 굴레

약탈적 고리대

국회의원이 된 지 얼마 안 된 2005년 어느 날 저녁, 새벽 다섯 시 약수터 행사부터 온종일 살인적 일정을 소화하느라 피곤에 지친 채로 소파에 누워 뉴스를 보고 있었다. 얼굴은 모자이크 처리되고 목소리는 헬륨 가스를 마신 것처럼 변조된 어떤 사람의 인터뷰를 보다 나도 모르게 벌떡 일어나 앉았다.

인터뷰의 내용은 어머니가 교통사고를 당해 응급실에 실려가면서부터 그 사람이 겪었던 일이었다. 응급실에선 수납부터 하라는데 수납할 돈은 없고 상황은 급해 일단 사채 150만 원을 빌리게 되었다. 그런데 계약서에 서명을 끝내고 건네받은 돈은 150만 원이 아닌 95만 원뿐이었다. "150만 원을 빌리는 계약에 서명했는데 왜 95만 원만 주냐"고 했더니 55만 원은 돈을 빌려주기 전에 먼저 떼는 선이자라는 답이 돌아왔다. 게다가 다음 달부터는 이자만 매달 65만 원씩 내야 했다.

기가 막힌 대목이 한두 군데가 아니었다. 우선 목숨이 경각에 달린 응급환자를 치료하는 것보다 수납이 먼저라는 우리나라 응급의료시스템에 너무 놀랐고, 선이자를 그렇게 많이 뗀다는 것도 충격이었다. 어떻게 이런 살인적인 고금리가 버젓이 횡행할 수 있는지, 도대체 대한민국 정부는 뭘 하고 있는지 도무지 앉아만 있을 수가 없었다.

관련법을 찾아보니 당시 법정 이자율 상한은 분명히 연 70%로 돼 있었다. 그런데도 연리로 환산하면 500%가 넘는 살인적 고금리가 서민들을 파탄으로 몰아넣고 있었다. 심지어 금융감독당국의 홈페이지에는 2800%가 넘는 상상을 초월하는 초고금리의 희생자들이 피해를 신고한 사례도 있었다.

당연히 불법 대부업 관리는 금융당국의 몫이라 생각하고 금융감독당국에 따졌더니 "대부업체 관리는 지방자치단체 몫이다"라는 것이었다. 마치 남의 나라 얘기하듯 하는 무성의한 답변이었다. 그래서 담당으로 되어 있는 서울시에 연락했더니 별도의 전담 부서는 없고 몇 명의 담당자가 배정되어 있기는 한

데, 그나마 대부업체 관리를 전담하는 것이 아니라 환경이나 위생 등 다른 업무를 전담하는 직원이 대부업체 관리도 겸하고 있는 실정이었다. 점입가경이었다.

사무실, 전화번호는 물론 회사 이름도 수시로 바꾸는 신출귀몰한 불법 대부업자들은 강력계 민완 형사들도 잡기 어려울 텐데 수사권은커녕 금융이나 수사에 대한 전문성도 없는 지방자치단체 공무원이 다른 업무를 주로 담당하면서 보조업무처럼 관리하고 있다면 더 들어볼 필요조차 없는 상황이었다.

역시나 서울시의 그 공무원은, 대부업법에는 70% 이상의 고금리를 불법이라고 규정하고 시행령으로 67% 이하만 받도록 정해져 있기 때문에 불법 대부업의 피해를 입으면 법정에 가서 소송을 하면 된다는 식의 설명만 되풀이할 뿐이었다. 불법 대부업의 희생자들은 하루 벌어 하루 먹고 사는 극빈층들이 대부분인데 몇 년씩 걸리고 비용도 어마어마한 소송을 무슨 수로 진행하라는 것인지 반박할 기력도 없었다. 더구나 당시 현행법에 따르면 대부업자가 법정 상한을 넘는 고금리를 받았다는 입증을 피해자가 해야 했다. 하지만 생업을 전폐하고 불법 대부업자를 잡으러 다닐 수도 없거니와 잡으러 다닌들 신출귀몰하는 그들을 잡아 무슨 수로 법적 증거를 확보하겠는가?

조사를 하면 할수록 서민의 삶을 송두리째 무너뜨리는 이른바 '약탈적 고리대'는 우리 사회 곳곳에 광범위하게 뿌리 내리고 있는 구조적 문제였다. 대부업체에서 돈을 빌렸다가 큰 고통을 당한 사람들은 대개 담보가 없어 정상적으로는 대출이 어려운 신용등급 7등급 이하, 우리 사회 가장 힘없는 서민들이다. 2003년 신용카드 부실 사태가 일어나기 전 대부업체는 4만여 개였는데, 이 중 등록업체가 1만 6000여 개인 반면 등록도 하지 않고 불법으로 영업하던 업체가 2만 4000여 개에 달했다. 등록업체들이 법정 이자율 상한인 70%를 받더라도 6%대였던 시장이자에 비하면 무려 10배가 넘는 폭리였다. 하지만 2800%가 넘게 받기도 했던 미등록 대부업체에 비하면 그나마 양반이었다.

더 잔인한 것은 대부업체에서 돈을 빌린 후 연체를 하거나 이자를 내지 않으면 도저히 일상생활을 영위할 수 없는 철저한 대출 회수가 시작된다는 사실이다. 심한 경우 폭언과 폭행, 감금과 구타까지 당하기도 한다. 그런 피해를 당한 사람일수록 경찰에 신고하기를 꺼린다. 신고해 봐야 잠깐 경찰서에 다녀온 뒤 더 큰 보복을 당할까 두렵기 때문이다. 이처럼 대부업계의 무서운 채권추심 관행을 알면서도 대부업체를 찾는다는 것은 그야말로 생존의 한계에까지 몰린 경우일 것이다.

이런 불합리를 개선하기 위해 우선 법률체계부터 바로잡아야 했다. 예상대로 법정 이자율 상한, 가중처벌, 불법 추심 제한 등 고쳐야 할 법률조항이 한두 개가 아니었다. 이것부터 정비하는 게 급선무였다. 그중에서도 대부업자가 불법으로 영업했다는 것을 피해자가 다 입증을 하도록 되어 있는 거증책임의 문제를 대부업자 스스로 불법행위를 하지 않았다는 것을 증명하도록 고치는 일이었다.

어떻게든 문제를 조금이나마 해소해 보기 위해 법정 이자율 상한을 30%로 내리고 채권추심 과정에서 불법 폭행과 폭력이 있을 경우 가중처벌하는 등의 내용을 담은 '대부업법 개정안'을 발의했다.

그랬더니 이번엔 도처에서 비판과 공격이 쏟아졌다. 당시 경제부총리는 "미국서 경제학 박사 하고 오신 분이 이렇게 반시장적인 법안을 냈느냐"고 공격했고, 몸담고 있던 당에서조차 "저거 누가 공천 줬나, 민노당에나 가라"고 하면서 회의에서 쫓아내기까지 했다. 하지만 물러설 수는 없었다.

과연 이자율 상한을 30%로 내리는 것이 반시장적인 일일까. 결코 동의할 수 없다. 많은 경우 기득권층들이 자신들이 가진 것을 내놓기 싫을 때 들이대는 현학적 변론이 반시장적이라는 것이다. 굳이 시장의 정의가 무엇인지, 시장적인 것과 반시장적인 것이 무엇인지 하는 경제학이론을 끌어들이지 않더라도, 이자율을 30%로 내리는 것이 왜 반시장적인 주장이 아닌지는 세계 제일의 시장주의 국가로 알려져 있는 미국의 사례만으로도 간단히 설명할 수 있다. 미국은 주별로 다르긴 하지만 대략 20% 내외에서 이자율을 제한하고 있는데, 뉴욕 주의 경우는

25% 이상의 이자를 받는 것에 대해서는 폭리죄로 처벌한다.

유럽 선진국들도 이자율에 대해서 엄하기는 마찬가지다. 독일도 연방은행 고시 평균금리의 2배와 평균금리에 12% 가산한 이자율 중 낮은 것을 이자율 상한으로 정해서 이를 어길 경우 엄격하게 처벌하고 있고, 프랑스도 고시하는 평균금리의 1.33배를 넘지 못하게 제한하고 있다. 멀리 외국을 볼 필요도 없다. 우리나라 상법에 이미 폭리를 취할 경우 부당이득죄가 된다고 명시되어 있다.

만약 항간의 우려처럼 이자상한제 때문에 대부업체들이 불법으로 음성화되어 그보다 더 큰 폭리를 취한다면 당국이 철저하게 단속하고 처벌하면 된다. 단속이 어렵고 귀찮다고 불법을 묵인하고 사회적 약자들을 신음하게 하는 것은 정부의 직무유기일 뿐이다. 정부의 직무유기를 지적해서 시정하고 잘못된 법을 고치는 일을 하라고 국회의원들은 국민들로부터 급여를 받는다. 안 되면 될 때까지 해야 할 일이다.

오랜 고생 끝에 다행히 2007년 10월 '대부업의 등록 및 금융이용자 보호에 관한 법률 시행령 일부 개정령'이 공표되고 시행에 들어갔다. 이 개정안에는 대부업자가 개인 또는 소규모 법인에 돈을 빌려줄 때의 이자율 상한과 여신금융기관이 받을 수 있는 연체이자율 상한을 연 49%로 하향 조정하는 내용이 포함되었다. 그 후 연체이자율은 등록 대부업체의 경우 39%, 불법 대부업체의 경우 30%로 상한이 조정되었다가 2013년 12월 다시 등록 대부업체에 대한 이자율 상한을 34.9%로 낮추는 개정안이 국회에서 통과되었다. 또한 금융감독원은 사금융 이용자에 대한 보호를 강화하고 피해를 최소화하기 위해 사금융 피해상담 및 불법 대부광고 사이버 감시단을 운영하기 시작했다.*

21세기 한국은 '빚 권하는 사회'

서민들이 당하고 있는 고리대의 폐해를 제대로 이해하자면 빚이 만연한 풍토를 함께 살펴볼 필요가 있다. 한때 저축왕국이었던 한국은 어느새 '빚 권하는 사회'로 변해 있다. 우리 주변을 돌아보면 온통 빚을 부추기는 문구가 넘쳐난다. TV에도, 핸드폰에도, 신문에도, 길거리 광고판에도 온통 대출하라는 권유들이다.

이런 '빚 권하는 사회'의 출발은 김대중 정부가 1997년 외환위기 이후 소비를 촉진한다는 명목으로 신용카드 규제를 대폭 완화한 시점으로 볼 수 있다. 신용카드 회사들은 카드 모집인을 대폭 늘렸고, 길거리에서 이름 석 자와 주민등록번호만 대면 아무한테나 카드를 발급해 주는 '묻지 마 모집'이 성행했다. 심지어 미성년자들에게도 신용카드를 발급했다. 신용카드회사들은

* 금융감독원 홈페이지에는 '제도권금융기관조회' 코너가 있다. 자신이 이용하는 금융업체가 적법한지를 이 코너에서 확인하고, 대부업자인 경우 관할 시도에 문의해 주소, 전화번호 등이 일치하는지 미리 확인하는 것이 좋다. 또 대부업체를 이용하기에 앞서 한국이지론(www.egloan.co.kr)을 통해 제도권 금융회사에서 대출을 받을 수 있는지 여부를 먼저 조회해 보는 것이 좋다.

손해 볼 것이 없다. 소비가 늘어 결제 수수료를 챙길 수 있고, 연체가 생기면 폭리에 가까운 연체수수료를 챙길 수 있기 때문이다. 정부도 경기 활성화를 위해 무분별한 카드 발급을 방치하고 있었다.

여기에 더해 국세청이 카드 사용에 세금 혜택까지 주기 시작하면서 민간소비 가운데 카드결제 비율은 1990년 5.6%이던 것이 불과 10여 년이 지난 2002년 45.7%까지 뛰었다. 이런 상황에서 소위 '카드빚'을 갚지 못하는 사람이 늘어나기 시작하자 신용카드회사의 부실도 눈덩이처럼 커졌다. 피해는 고스란히 국민들에게 돌아갔다.

정책 실패와 신용카드회사들의 도덕적 해이로 초래된 2003년 신용카드 부실 사태의 충격은 엄청났다. 결국 2003년 연체율이 28.3%라는 경이적인 수준에 이른 신용카드회사들은 부도의 위기에 처하게 되자 구조조정을 하지 않을 수 없게 되었다. 국민카드, 외환카드, 우리카드, 3개의 신용카드회사는 모(母)은행에 흡수되거나 합병되었고, 삼성그룹은 삼성카드에 5조 원이나 수혈해야 했다. 과다 경쟁의 선두에 섰던 LG카드는 신한금융지주회사로 넘어가 신한카드와 합병되었다. 2003년 말이 되자 신용불량자는 최대 372만 명에 이르렀고 카드빚에 못 견뎌 자살하는 사람들이 속출했다.

'경제능력을 감안하지 않은 카드 발급—무분별한 소비—신용불량자 양산－정부의 신용불량자 사면'이라는 악순환은 지금도 반복되고 있다. 경제활동인구 1인당 보유한 신용카드 수는 2012년 기준 4.56장으로 신용카드 부실 사태 직전인 2002년의 4.57장에 육박한다.

게다가 2008년 금융위기 이후 세계적으로 중앙은행들이 돈을 찍어 통화 공급을 늘리는 양적 완화가 이어져 저금리가 지속되자 자금 운용이 막힌 신용카드회사들이 카드대출 경쟁을 벌였다. 그 결과 카드결제 연체로 신용불량자가 된 사람은 2010년 13만 6000명에서 2012년 17만 6000명으로 늘었다. 신용카드 발행과 사용이 남발되는 상황에서 금리가 반등이라도 하면 또 한 번 엄청난 신용카드 부실 사태가 재발할 수 있는 것이다.

신용불량자가 급증하는 배경에는 가계부채 증가와 고용의 질 저하가 가장 큰 요인으로 자리잡고 있다. 경기악화로 정규직보다 임시직이나 일용직과 생계형 자영업자가 증가하면서 빚 상환 능력이 떨어진 것이 그 원인이라는 이야기다. 이렇듯 더 이상 빚을 감당하기 어려운 가계가 증가한 탓에 가계부채는 1000조 원에 육박하고 있다.

하지만 여기엔 정부의 책임도 결코 작지 않다. 각종 서민대출 요건과 자격을 크게 완화해 정부가 대출을 둘러싼 도덕적 해이를 부추긴 측면이 있기 때문이다. 이명박 정부가 가계부채 문제 해결을 위해 내놓은 미소금융, 햇살론, 새희망홀씨론, 바꿔드림론 등의 정부 지원 서민금융상품들은 연체율이 7% 안팎까지 치솟으며 가계부채를 오히려 더 늘리고 있는 형편이다. 신용등급이 낮은 금융소외계층도 담보 없이 사채보다는 훨씬 저렴한 금리로 신용대출을 받을 수 있게 하기 위해 정부는 소득 및 재산 요건을 대폭 완화하고 제출할 서류도 간소화하는 한편 연체기록이 있어도 대출을 받을 수 있게 하는 등 갚을 능력이 없는 사람들을 계속 빚의 구렁텅이로 내몰고 있는 것이다.

이런 식이니 돈을 빌리고 잠적해 버리는 사람도 적지 않다. 취급 금융사는 정부 보증으로 돈을 떼일 우려가 거의 없어 채권추심에도 소극적이다. 여기에 불법 대출과 중복 대출을 알선하는 브로커들까지 활개를 치고 있다. 서민금융 전체가 힘없고 돈 없는 서민들을 먹이 삼아 돌아가는 구조다 보니 신용불량자가 양산되지 않을 수 없다.

이처럼 서민들이 빚의 굴레를 벗어나게 도와주는 많은 제도적 보완이 이뤄지고 있지만 새로운 문제들도 계속 생겨나고 있다. 이자율 상한이 많이 낮아졌다 하지만 서민에겐 여전히 높다. 또한 약탈적 대출로 인한 피해도 여전히 근절되지 않고 있다. 빈곤으로 인해 극한 상황으로 내몰린 서민들은 약탈적 금융 외에 별다른 선택을 할 수 없는 상황이다.

세입자들의 고통

아내를 둔기로 내려쳐 살해하려한 혐의(살인미수)로 구속기소된 김모 씨는 징역 2년의 실형을 선고받았다. 중소업체에 근무하는 그는 소형 아파트를 매입하는 과정에서 1억 5000만 원의 빚을 졌고, 이자를 갚는 과정에서 사채를 끌어다 써서 한 달 이자만 300만 원에 달하는 상황에 처하게 되었다. 아파트 담보대출 이자와 원금 상환 걱정 때문에 몇 달째 잠을 못 이룬 끝에 아내와 자식을 죽이고 자신도 목숨을 끊을 생각으로 자고 있는 아내의 머리를 망치로 내려쳤다. 하지만 아내가 머리에 피를 흘리면서도 "내가 죽으면 불쌍한 우리 아이 어떡하냐, 집을 팔면 빚을 어느 정도 해결할 수 있다, 다시 살아보자"고 설득하자 마음을 바꿨다. 김 씨의 아내는 병원으로 옮겨져 수술을 받았으나 상처 부위를 이상하게 여긴 병원 쪽의 신고로 경찰에 붙잡혔던 것이다.

회사원 강 씨는 2년 전 2억 5000만 원짜리 전세 아파트를 구해 이사했다. 당시도 전세금이 많이 올라 자녀 학교와 가까우면서 저렴한 전셋집을 찾아 옮긴 거였다. 그런데 전세 만기를 한 달 앞두고 집주인은 보증금 5000만 원에 월세 100만 원으로 계약조건을 바꾸겠다고 통보해 왔다. 한 달에 월세를 100만 원씩이나 내고는 애들 가르치는 것은 물론 생활하기조차 어렵겠다고 판단한 강 씨는 전세를 옮기려고 한 달 넘게 돌아다녔지만 매물을 찾을 수 없었다. 초등학교 6학년이 되는 아이 때문에 다른 동네로 이사하기도 힘들었던 그는 집주인에게 주변 시세보다 전세금을 더 주겠다며 통사정했다. 그러자 집주인은 전세금 3000만 원을 올려주고 1년만 사는 조건을 걸었다. 강 씨는 어쩔 수 없이 주인이 내건 조건을 넣은 계약서에 도장을 찍었다.

조그만 출판사에 다니는 회사원 송 씨는 전세금 2억 4000만 원인 99m^{2}짜리 빌라를 구해 이사했다. 몇 달 새 주변 빌라 전세금이 4000만~5000만 원씩 뛰자 집주인은 "전세금을 3000만 원 올려 달라, 나도 담보대출 이자 내느라 허리가 휘는데, 전세금 올려 받는 걸로 대출금을 갚겠다"며 전세금 인상을 요구했다. 월수입이 세금 떼고 나면 한 달에 400만 원 남짓인 송 씨로서는 2년 동안 월 100만 원씩 부었던 적금을 해약하고도 부모님께 모자라는 돈을 빌려야 했다. 자녀 학교 때문에 다른 동네로 옮길 수 없었던 데다 이미 전세금 대출이 3000만 원 있었던 터라 추가 대출도 어려웠기 때문이다. 송 씨는 2년 후에는 더 작은 빌라로 옮기는 방법을 생각 중이다.

전세금 고공행진이 오랫동안 이어지면서 세입자들의 고통이 커지고 있다. 부동산정보업체들에 따르면 서울 아파트 전세금 상승세가 1년 이상 지속되며 수도권 아파트 평균 전세금은 2억 원선을 넘어섰다. 이처럼 상승분이 누적되자 세입자들이 체감

하는 고통은 갈수록 커지고 있다.

최근의 전세금 상승세는 주택시장 장기 침체로 집값 상승에 대한 기대가 꺾인 가운데 장기화되고 있다는 것이 특징이다. 저금리 기조가 이어지면서 집 주인들은 전세보다 월세를 더 선호하게 돼 월세 전환이 급속히 이뤄지고 있는 것도 전세금 폭등을 부추기고 있는 요인이다. 3억 원짜리 전세를 월세로 돌리면 보증금 2억 원에 월세 70만~80만 원 선인데, 이는 3% 미만 저금리 시대에 1억 원을 그냥 은행에 넣어뒀을 때보다 수익이 2~3배는 많은 수준이기 때문이다. 또한 직장, 교육 등의 문제로 자기 집은 세주고 전세를 사는 사람들이 많아지는 것도 전세금 연쇄 파동의 진폭을 키우고 있다.

상황이 이렇다보니 전세 품귀 현상은 날로 극심해지고, 월세로 몰리는 서민들의 고통은 커져만 가고 있다.

전세의 무서운 함정, '깡통전세'

한국은행에 따르면 주택담보대출을 받은 집주인 가운데 대출금을 2000만 원 이상 조기 상환한 집주인 비중은 2013년 6월 말 기준 26.8%로 조사됐다. 현재 집주인 4명 가운데 1명은 전세금을 올려 받아 빚을 갚고 있는 셈이다. 이 비중은 2009년 말

4.3%, 2010년 말 9.3%, 2011년 말 15.6%, 2012년 말 22.5%로 꾸준히 상승해 왔다. 그러나 전세를 끼고 있는 주택의 평균 가격은 2년 전에는 3억 4000만 원이었던 것이 3억 원으로 하락했다. 집값 중 10%를 넘는 돈이 증발한 것이다. 그런데 이 집값 중 집주인 자신의 돈은 평균 7000만 원에 불과했다. 결국 집주인의 과도한 주택담보대출 상환 부담은 전세금 인상분을 빚 갚는 데 쓰게 만듦으로써 결국 세입자의 전세자금대출 상환 부담으로 전가되고 있는 것이다.

우리나라 전체 세입자가 갚아야 하는 전세자금대출금은 2013년 6월 말 60조 원을 넘었다. 2009년 말 33조 5000억 원에 불과했던 게 3년 반 만에 약 2배로 불어났다. 전세자금대출금은 통상 2년 뒤 갚아야 하는데, 전체 전세자금대출금 중 80%에 가까운 대출금의 만기가 2014년, 2015년에 집중되어 있다.

더 큰 문제는 집값 하락이다. 자기 자금이 7000만 원인 집주인이 나중에 세입자를 구하지 못해 1억 4000만 원의 보증금을 돌려주려면 집을 팔거나 대출을 받아야 한다. 그러나 집을 팔아도 대출금과 보증금을 합한 액수에 모자란 집, 이른바 '깡통전세'가 이미 수두룩하다. 현재 세입자가 집주인에 맡긴 보증금은 400조~500조 원에 이른다. 한국은행은 깡통전세 주택이 전세를 끼고 있는 주택 전체의 9.7%에 달한다고 밝히며, 집값이 하락하는 과정에서 전세금은 계속 올라 전세계약이 끝날 때

임차인이 전세금을 회수하지 못할 가능성이 커지고 있다고 우려했다.

급증하는 월세

저금리 기조 장기화로 집주인의 월세 선호 경향이 짙어지면서 전국 임대가구 중 월세가구의 비율이 40%를 육박하고 있다. 이처럼 월세 비중은 급증하고 있지만, 정부와 수요자 모두 대비책이 없어 시장 혼란은 더욱 커지고 있다. 정부는 '12 · 3 부동산 후속조치'를 통해 2014년부터 '저소득 월세가구'를 대상으로 주거급여를 지원하는 내용의 '주택바우처제도'를 도입하기로 했다. 하지만 월세가구가 전체 임대주택 중 40%에 달하는 상황에서 이는 근본 해결책이 아니라는 의견이 대다수다.

월세 비중이 크게 늘어나면서 발생한 가장 큰 문제점은 서민들 대부분의 저축 여력이 없어지고 가용재산이 사라진다는 것인데, 이는 노후 불안을 야기하고 결국 사회를 불안하게 만들 수밖에 없다.

세입자들은 반강제로 월세로 밀려나면서 급증하는 주거비 부담에 시달리고 있다. 한국감정원에 따르면 2013년 9월 현재 정기예금 금리 기준으로 전국 월세주택의 평균 주거비용은 연간

951만 원으로 전세 370만 원보다 2.5배 이상 높은 수준이다. 목돈을 내지만 돌려받는 전세와 달리 월세는 매달 돈이 나가기 때문에 부담이 클 수밖에 없다. 게다가 지금처럼 경기가 안 좋은 상황에서 월세를 내면 가처분소득이 줄어 소비 위축, 내수경기 침체로 이어질 수 있다고 전문가들은 지적하고 있다.

집주인도 편하지만은 않다. 월세 연체와 공실 위험을 고스란히 떠안아야 하기 때문이다. 미국에서는 세입자가 월세를 연체하면 보증회사가 대신 집주인에게 돈을 주는 '임대료 보증상품'이 보편화돼 있고, 임대관리회사가 집주인에게 시세의 90% 수준으로 수익을 보장하는 대신 월세 주택을 관리하고 공실 위험까지 떠안는 임대관리업도 활성화돼 있다. 하지만 우리나라에서는 세입자가 월세를 안 내고 집에서 나가지 않아도 집주인이 대응할 수 있는 수단이 거의 없다. 이는 세입자에게도 고스란히 부담이 된다. 외국은 보증금이 월세 두 달치 정도인데 한국은 외국처럼 월세가 연체됐을 때 이를 보완하는 시스템이 없기 때문에 보증금이 월세 30~50개월치 수준으로 높아 세입자에게 월세는 월세대로, 보증금은 보증금대로 부담을 주기 때문이다.

임대주택의 상황이 이렇듯 열악한데, 월세 주택 현황을 제대로 파악한 통계조차 없다는 것도 문제다. 기본적인 통계가 없으면 지역별, 상품별로 체계적인 월세 지원이나 운영관리가 담보되지 못해 실효성 없는 임시방편적 정책만 남발할 공산이 크기 때문이다. 현재 무주택 서민들이 당하는 고통은 부동산 시장의 근본적인 변화에 기인한 것인 만큼 이를 해결하기 위해서는 주택자금 대출과 관련된 대책처럼 임시방편적인 대책보다는 좀더 현실적이고 장기적인 안목의 대책 마련이 시급하다.

이처럼 우리 서민을 울리는 악질적 불법 대부업을 근절하고 불안한 주택 상황을 안정시켜 서민들이 빚의 굴레를 벗어나게 돕는 것, 이것이 '이혜훈이 정치하는 이유'이다.

이혜훈이 만난 사람

서민경제회복연대 회원들

문명질서를 파괴하는 약탈금융

이혜훈 현장의 자세한 사정을 잘 모르고 정책을 만들다보면 본래 취지와는 전혀 다른 결과를 낳는 경우가 적지 않습니다. 특히 신용불량자나 개인파산, 워크아웃 등에 몰리는 분들은 우리 사회에서 가장 어렵고 힘든 계층인데 정책 당국자들은 탁상공론으로 실제 현장에서는 작동하지 않는 정책들을 남발하기도 합니다.

회원 1 얼마 전에 저희 카페에서 어떤 분께서 상담하신 적이 있었습니다. 그분은 2006년에 사업을 하다가 사채를 썼는데 이자율이 거의 1000%가 넘었습니다. 1000만 원에 60만 원씩 매월 변제를 했는데 5년가량 버티다 끝내는 가족들을 데리고 야반도주 했습니다. 그런데 이분이 파산면책이라는 제도를 이용하려고 가보니 비용이 만만치 않은 겁니다. 변호사들은 200만, 300만 원의 수임료를 요구하고, 파산관재인 예납비 30만 원까지 납부하라고 하니까 아예 엄두를 못 냅니다. 법원에서 2012년 2월부터 파산면책을 좀 빨리 진행하겠다고 파산관재인 제도*를 의무화했는데 그 비용까지 채무자가 부담하게 돼 있습니다. 여기에 법원에 들어가는 송달료가 또 30만 원 정도가 들어 대략 260만~360만 원은 있어야 하니 벼랑 끝에 몰려 단돈 만 원도 없는 신용불량자로서는 파산하기도 쉽지 않습니다.

이혜훈 빚을 갚기 위해서 다시 빚을 내야 되는 상황이 발생하는 거

* **파산관재인 제도** 파산선고와 동시에 파산관재인을 선임하여 채무자의 재산과 소득을 조사하도록 하는 제도다. 파산관재인은 감사위원이나 법원의 감독을 받으며 파산자가 가진 모든 재산을 관리하고 처분할 권한을 가진다. 일반적으로 변호사 중에서 선임된다.

대부업체 광고 아예 못 하게 해야 된다고 생각해요.
도대체 검색 사이트에 들어가기만 하면
무슨 팝업창이 그렇게 떠요?
TV도 온통 대부업체 광고고….

군요. 파산면책이 100% 된다는 보장도 없고요.

회원 1 파산면책이나 개인회생은 사실상 마지막 구제절차인데 비용이 많이 들고 결과가 불확실한 데다 제출 불가능한 서류를 많이 요구합니다. 개인회생을 진행하는 경우 배우자나 전 배우자에 대한 주민등록 초본, 최근 5년간 납세증명서, 자녀에 대한 서류, 돌아가신 부모의 납세증명서, 배우자나 전 배우자의 부모에 대한 주민등록 초본 · 납세증명서까지 떼어오라고 합니다.

이혜훈 파산법원 판사들이 구체적인 내용을 잘 모르고 판단하는 경우도 많을 것 같네요.

회원 1 택시 운전기사 한 분이 있었는데 개인회생을 진행해서 2009년부터 120만 원을 벌어서 35만 원씩 납부했어요. 85만 원으로 한 달을 생활하라는 게 현행법이기 때문에 어쩔 수 없이 35만 원씩 변

제를 하다가 뇌졸중으로 쓰러져서 반신불수가 됐습니다. 변제를 하다가 도저히 변제할 수 없는 특수한 사정이 생겼을 때 면책시켜 주는 특별면책이라는 제도가 있는데, 법원에서 몇 달을 그냥 내버려두다가 갑자기 개인회생 인가를 폐지했습니다. 개인회생으로 변제하고 있다가 특별면책을 신청했으면 특별면책에 대한 심리를 해야 하는데 심리 절차도 없이 개인회생 인가만 불쑥 폐지해 버린 겁니다. 제가 법원에 전화를 했더니 "법원에서 결정한 거니까 그대로 따르셔야죠" 하고는 뚝 끊습니다. 법원이 힘없는 사람, 가난한 사람들에게 얼마나 불친절하고 고압적인지 모르실 거예요.

이혜훈 법원이 자기들의 행위에 대해서 설명을 해주는 건 친절의 문제가 아니라 의무 아니에요?

회원 2 현실에서는 그렇지가 않습니다. 사채업자로부터 피해를 당하면 경찰들이 잡을 것 같죠? 절대 안 잡습니다. 검찰, 경찰, 행정

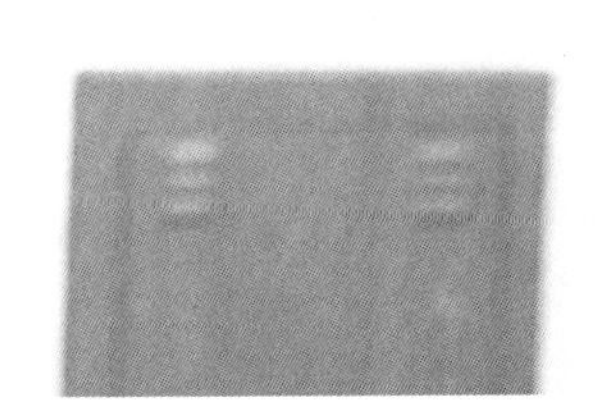

부, 지방자치단체가 대부업 회의를 하도록 법으로 정해져 있지만 그 회의도 안 합니다.

이혜훈 관련 기관들은 모두들 시장경제 논리만 펴겠지요.

회원 1 그렇게 시장원리를 펼치고 있을 때 저희 서민들은 다 굶어 죽는 거죠. 빚 갚을 능력이 없는 사람들한테 자꾸 빚 얻으라고 부추기는 게 제일 큰 문제인데…. 지금 대부업체들, 특히나 일본계 대부업체들 엄청나게 광고하고 있습니다.

이혜훈 대부업체 광고 아예 못 하게 해야 된다고 생각해요. 도대체 검색 사이트에 들어가기만 하면 무슨 팝업창이 그렇게 떠요? TV도 온통 대부업체 광고고….

회원 1 그뿐이 아니에요. 아이들이 열심히 보는 프로그램 중간중간

아무 생각 없이 클릭 해가지고
대출 받게 하는 '묻지 마' 대출은
그냥 노예를 낚는 거예요.
도대체 연리 19%라는 게 뭘 의미하는지
사람들은 잘 몰라요.

에 들어가는 것도 다 대부업체 광고입니다. 얼마 전에 제 조카한테 갔더니 조카가 러시앤캐시 무대리 인형을 갖고 있더라고요. 이렇게 대부업에 대해 아주 친근한 이미지를 갖는 어린 세대들이 나중에 성인이 되면 아무 생각 없이 대부업체 돈을 쓰게 되는 겁니다.

이혜훈 아무 생각 없이 클릭 해가지고 대출을 받게 하는 '묻지 마' 대출은 그냥 노예를 낚는 거예요. 도대체 연리 19%라는 게 뭘 의미하는지 사람들은 잘 몰라요. 1년 후가 되면 갚아야 될 빚은 얼마고 그걸 못 갚으면 빚이 얼마로 늘어나게 되는지, 인생이 어떻게 되는지를 숫자로 보여줘야 되는데, 금융감독원이 일도 안 하고 나 몰라라 하고 있으니 참 문제예요. 많은 사람들이 "그냥 난 1000만 원 빌렸는데 이게 왜 4000만 원이 돼 있어요" 이런 답답한 소리를 해요.

회원 2 묻지 마 대출을 어렵게 하는 조치가 꼭 필요합니다. 친구들이랑 술 먹으려고 돈 100만 원을 대출받는다는 것은 말이 안 되는 거잖아요.

회원 1 그런데 그렇게 대출받으면 한두 번은 열심히 갚아요. 그런데 또 대출을 받는다는 게 문제예요. 대출이 쉬우니까 또 쓰는 거죠. 그런데 이게 계속되면 100만 원을 쓰면서 200만 원, 300만 원을 갖다 주는 결과가 되고 빚의 노예로 살게 되는 거예요. 빚을 갚기에 급급해서 경제적으로 자립을 못 하거든요.

회원 2 불법 추심 문제도 정말 심각합니다.

회원 1 진짜 심각합니다. 요즘 여자들 상대로 대출해 주는 상품들이 있잖아요. 충주에 사는 어떤 여자분이 벌벌 떨면서 아침 8시에 전화한 적이 있어요. 남편은 출근했고 한 살배기 애랑 있는데 바깥에 모르는 남자 둘이 와서 이름을 부르고 있다는 거예요. 일단 경찰을 부르라고는 했지만 경찰이 온들 할 수 있는 게 없어요.

회원 2 경찰은 민사에는 절대 개입 안 합니다.

회원 1 그런 대출 상품들은 일단 대출은 쉽게 줘요. 그런데 안 갚았을 때는 진짜 지옥을 보여줍니다. 정말 무섭습니다. 안 당해보면 모릅니다.

회원 2 대부업체가 매달 20일이 결제일이면 15일부터 전화를 해요. 계속 전화를 해서 압박하는 거예요. 그 불안감과 심리적 압박감이 정말 장난 아니에요.

회원 1 그리고 그 전화를 안 받으면, 계약할 때 받아놓은 남편 전화번호, 엄마 전화번호 등으로 전화하겠다고 협박합니다. 원래는 대출 계약할 때 가족이나 다른 사람의 전화번호를 수집할 수 없어요. 대부업법에 이미 정해져 있지만 그 사람들은 계약서에 전화번호 칸을 만들어놓고 기재하지 않으면 대출을 안 해줘요. 그러니까 어쩔 수 없이 적어요. 명백히 불법인데 다 그렇게 합니다. 채무 사실만 고지 안 하면 된다는 논리로 전화를 하고 있어요.

회원 2 대부업체는 사람을 피 말려 죽이는 곳입니다. 100만 원 빌리면 첫날 10만 원 떼고 90만 원만 줍니다. 다음날부터 돈 다 갚을 때까지 매일 이자만 10만 원씩 줘야 돼요. 매일 이자가 10%인 거예요. 거짓말 같지요? 벼룩시장에 신용불량자 대출, 면책자 대출 그런 거 찾아서 한번 전화해서 보세요. 하루에 얼마, 바로 전화로 얘기해 줘요. 그 정도로 무서워요. 그런 게 만연돼 있습니다.

요즘 술집에 나가는 여자들이 많아졌잖아요? 사채 때문인 경우

학자금 때문에 사채 빌렸다가 이자랑 원금을 못 내서
술집에 나갔는데 그 사실을 알게 된 아버지가 자살했잖아요.
그 사채업자가 그때 무슨 처벌을 받았느냐?
벌금 몇 푼 내고 끝났습니다.

가 의외로 많아요. 끌려가서 팔리는 경우도 많고요. 2011년에 그 여대생 사건 있었잖아요. 학자금 때문에 사채 빌렸다가 이자랑 원금을 못 내서 술집에 나갔는데 그 사실을 알게 된 아버지가 자살했잖아요. 그 사채업자가 그때 무슨 처벌을 받았느냐? 벌금 몇 푼 내고 끝났습니다. 아버지는 죽고 한 여자 인생은 망가졌지만 그 사채업자는 이자 높게 받았다고 한 1200만 원 벌금만 냈습니다. 자기가 뽑아낸 게 한두 달 사이에 몇 천만 원은 되니까 벌금 내고 마는 거예요. 또 요즘 와이브로(WiBro, Wireless Broadband. 무선 광대역) 통해서 노트북, 핸드폰 왜 많이 나가는지 아세요? '깡' 때문이에요.

이혜훈 '카드깡'은 알겠는데 핸드폰으로 '깡'을 어떻게 해요?

회원 2 카드깡하고 같은 개념입니다. 대학생이 와이브로 서비스를 신청하면 카드 없이 노트북을 할부로 살 수가 있어요. 애플의 140만 원짜리 맥프로 같은 경우는 포장 안 뜯고 바로 팔면 100만 원에

팔 수 있으니까 와이브로 신청해서 받은 노트북을 사채업자들한테 넘기면 바로 현금을 만들 수 있죠. 그러니 신용만 괜찮으면 와이브로 2개, 핸드폰 몇 대 그렇게 신청해서 바로바로 현금으로 만드는 거예요. 용산 가보시면 노트북 대리점들 앞에서 받아온 물건을 바로 현금과 바꿔가는 거 어렵지 않게 볼 수 있어요. 그런 사람들이 무지 많습니다. 젊은 신용불량자들은 사실 대부분 핸드폰 요금하고 이런 문제거든요. 돈이 필요할 때 너무 쉽게 깡을 할 수 있게 돼 있으니까…. 이거는 막아야 돼요.

그리고 자영업자들의 일수(본전에 이자를 합하여 일정한 액수를 날마다 회수하는 빚)도 큰 문제예요. 일수는 대개 100일 단위거든요. 한 달 정도 지나 돈을 하루라도 못 갚으면 이 사람들이 다른 일수업자를 데리고 와서는 나는 이제 더 일수 못 주니까 여기서 받아라, 그래요. 그러니까 재대출을 받으라는 겁니다. 100만 원 대출해주면서 선이자 떼고 90만 원 받았는데 한 달 지나고 나면 70일 남은 거잖아요. 그러면 새 대출업자 데리고 와서 남은 70일치하고 연체금 가산까지 합해서 120~130만 원 정도를 다시 대출하게 하는 거예요. 그러면 새 대출업자는 또 선이자 떼고 소개비 수수료 떼고 그럽니다. 이런 식으로 한 바퀴 돌면 100만 원 빚이 어느 순간에 200만~300만 원이 되고, 또 이자 못 내서 한 바퀴 돌면 100만 원짜리가 1000만~2000만 원 되는 겁니다.

이혜훈 서로 돌려가면서 그냥 사람 진을 빼는 거네요.

회원 2 그뿐이 아니에요. 등록 대부업체들이 광고를 그렇게 하는 이유가 또 있어요. 미등록 업자는 사람들이 고발하고 정부에서도 관리 · 감독 심하게 하니까 직접 못 나서거든요. 등록 업자 광고를 보고 전화가 오잖아요. 좀 뜯어먹을 수 있을 것 같다, 만만하다 싶으면 미등록 업자들을 연결시킵니다. 급한 거 아는데 우리 사무실이 안 된다, 내가 다른 사람 소개시켜 주겠다, 이자는 좀 비싸겠지만 돈은 나온다, 그러면서 은행 문 닫을 시간 거의 다 돼서 연결을 시켜줘요. 결제는 해야 되니 어떻게 하겠습니까? 아무 생각 없이 돈을 받고 나면 그때부터 죽어나는 거예요. 그러고 나서 한 달쯤 지나면 필요한 건 100만~200만 원이지만 돈을 대출받는 건 항상 300만~500만 원 이상이 돼버려요. 빚을 계속 굴려야 하니까. 그것도 선이자 떼고 주니까 70~80%밖에 안 주죠. 돈이 항상 부족하게끔. 그리고 또 다른 업자에게 넘기고 하면서 돌리는 거예요. 여자의 경우 돈을 못 갚는데 반반하다 싶으면 바로 유흥업소로 돌리면서 '마이낑'을 합니다.

이혜훈 '마이낑'은 또 뭐죠?

회원 2 선불을 '마이낑'이라고 합니다. 그 선불을 여자가 받는 게 아니고 대출을 해준 대부업자가 받아갑니다. 이렇게 여자의 빚은 금방 몇 천만 원이 돼버리는 거예요. 유흥업 종사자들이 공식, 비공식 다 합치면 거의 100만~120만 명에 육박한다고 하더라고요. 이 중에서 자발적으로 유흥업에 종사하는 사람이 과연 몇 명이나 될 거라고 생각하세요? 노래방 도우미들은 가정주부가 정말 많습니다. 남편 몰래 밤에 나와 '알바' 하는 겁니다. 이 사람들이 왜 거기에서 일하겠습니까? 급한 마음에 사채 한 번 썼다가 그 지경이 된 겁니다. 사채 문제가 이렇게 심각합니다. 가정을 파괴하고 사회를 파괴하는 문제입니다. 진짜로 뭔가 특단의 조치가 필요해요. 산와니 러시앤캐시니 다 일본 자본입니다. 그리고 같은 그룹사고요. 아프로도 같은 그룹사예요. 러시앤캐시는 그래도 국내에서 30% 이상은 자본을 조달해요. 그런데 산와는 100% 일본 자본입니다. 이건 규제해야죠. 이들이 무슨 프로야구, 무슨 배구단을 만들어 운영한다는 거 말도 안 되는 일이에요. 이거는 강도질하고 마약 팔아 갖고 사회봉사 한다고 돈 뿌리는 거나 다름없어요. 이걸 다 못 하

극빈층에서 파산하는 사람들한테는
강제파산 등 다른 방법을 찾아줘야 될 것 같습니다.
실제 현장에서 벌어지는 일들 들으니까
어디까지 얼마나 손을 대야 할지 정말 감이 안 잡힐
정도로 심각한 것 같습니다.

게 해야 해요. 경찰, 법원이 신경 써야 하는데 절대로 안 그러죠.

이혜훈 제도적으로 어떤 장치가 또 꼭 필요할까요?

회원 1 파산이나 회생은 정말 힘든 사람들이 하는 건데 파산관재인을 선임하게 해놓고 몇 달씩이나 결정도 안 하고 질질 끄는 경우가 너무 많아요. 보통 1년이 걸려요. 결정 기다리다가 숨 넘어갑니다. 개인회생을 진행하면 인가 나기 전까지는 추심 전화, 독촉 전화 하지 말라는 게 금지결정인데요, 금지명령은 가급적 빨리 내려줘야 되잖아요. 열심히 일을 해야 빚을 갚을 텐데 빚 독촉 때문에 일을 못 하는 경우가 많아요. 결정 나기까지 3개월이나 걸리면 무슨 의미가 있겠습니까. 3개월 동안 추심 다 당하고 회사에 소문 다 나서 쫓겨나고 그러는데요. 사채업자들한테 추심당하는 사람들은 하루하루가 진짜 죽음과 같은 나날인데….

이혜훈 개인회생의 경우에 신청부터 해서 처리 기간이 일주일을 넘기지 못하게 하는 방안을 생각해 봐야겠군요.

회원 2 채권추심 할 때 추심자 처벌하는 걸 좀 강하게 해주세요. 하루에 독촉 전화를 800통까지 제가 받아봤어요. 그리고 파산관재인을 의무화했는데 신용불량자들이 파산하는 데 무슨 파산관재인이 필요하겠습니까. 파산관재인을 의무화하니까 돈만 더 들어가고 시간만 더 걸립니다. 파산관재인은 다 변호사들인데 '우리 법무법인에는 관재인 변호사가 있다' 이렇게 광고를 해서 사건을 따요.

또 부채증명서 가격도 문제가 커요. 부채증명서를 떼는 데 은행에서는 통상적으로 한 3000~1만 원 정도 하는데, 유동화주식회사는 훨씬 더 많이 받아요. 돈 없어서 파산을 해야 할 사람들이 돈이 없어서 파산절차를 못 밟는 거예요. 그런 사람들은 국민행복기금이나 워크아웃에도 기댈 수 없는 분들이죠.

배드뱅크(Bad Bank. 금융기관의 부실자산이나 채권만을 사들여

전문적으로 처리하는 기관)도 문제가 많습니다. 배드뱅크가 관리하는 사람들이 누구냐 하면 기초생활수급자예요. 기초생활수급자는 대한민국에서 먹고살기 어렵기 때문에 정부가 지원하는 사람들이잖아요. 그런데 이 사람들 채무조정 한다고 빚 받고 있어요. 그러니까 정부에서는 먹고살라고 돈을 주는데 정부 기관이 채무 갚으라고 그 돈을 뺏어가고 있는 거예요.

이혜훈 극빈층에서 파산하는 사람들한테는 강제파산 등 다른 방법을 찾아줘야 될 것 같습니다. 실제 현장에서 벌어지는 이야기들을 들으니 어디까지 얼마나 손을 대야 할지 정말 감이 안 잡힐 정도로 심각한 것 같습니다. 일단 말씀하신 대로 파산에 들어가는 비용을 줄이고 절차를 간소화하는 방안, 대부업체들의 TV 광고 및 스폰서 활동을 금지하는 방안, 추심 금지결정 기간을 단축하고 불법 추심에 대한 처벌과 단속을 더욱 강화하는 방안, 사채업자들에 대한 경찰과 검찰의 단속을 강화하는 방안 등을 적극 찾아보도록 하겠습니다. 약탈적 금융을 이 땅에서 몰아내는 것, 우리가 정치하는 이유이지요. 안 되면 될 때까지.

서민경제회복연대 구 신용불량자 클럽. 파산, 면책, 개인회생, 추심, 압류, 가압류 등을 경험한 사람들이 관련 법 제도, 금융 정보, 사회적 문제에 대한 고민을 공유하면서 대안을 제시하는 온라인 커뮤니티이다. http://cafe.daum.net/credit/4j2/36605

'일할 권리'를 잃은 청년들

"살아 있다는 느낌을 갖고 싶어요"

"우리는 벌레가 아닙니다. 일을 하고 싶은 첫 번째 이유는 돈벌이가 아니라 살아 있다는 느낌을 갖고 싶기 때문입니다. 일하고 싶은데 그럴 수 있는 권리는 왜 헌법에 없는 건가요?"

몇 년 전 당에서 청년실업 해법을 모색하자는 취지로 지역순회토론회를 개최했을 때의 일이다. 광주 지역 토론회에서 시민패널로 참석한 한 '청년백수'의 발언은 이 시대 젊은이들의 고뇌를 그대로 함축하고 있었다.

일할 권리가 인간의 기본권에 관한 것이라는 그의 말은 모든 참석자들의 마음에 두고두고 여운을 남겼다.

청년실업, 특히 대학을 졸업하고도 놀고 있는 고학력자들의 실상은 통계만 봐도 금세 드러난다. 통계청에 따르면 2013년 7월 현재 전체 청년 실업자(15~29세)는 35만 2000명이며, 2013년 3분기 기준 국내 실업자 중 20대 비중은 40%에 육박한다. 무직자 10명 중 4명이 청년이라는 얘기다. 이 중 전문대졸 이상 고학력자는 16만 2000명으로 전체 청년층 실업자의 46%나 된다. 2013년 3분기의 20대 고용률은 57.2%로 1998년 이래 가장 낮았다. 20대 청년들의 일자리는 갈수록 줄어들고 있다.

청년실업 문제가 워낙 심각하다 보니 대학 졸업자들의 취업 준비는 거의 신입생 시절부터 시작된다고 해도 과언이 아니다. 대학에 입학하면서부터 대기업 취업에 필요한 각종 자격이나 요건을 갖추기 위해 노력해야 한다. 이런 자격이나 요건을 갖추기 위해 노력하는 것을 가리키는 '스펙(설계 구조를 뜻하는 영어 단어 'specification'을 줄여 만든 말) 쌓기'는 이제 모르는 사람이 없을 정도로 익숙한 일상용어가 되었다.

졸업 후 원하는 곳에 취직하려면 공인 영어 성적, 높은 학점, 각종 자격증, 봉사 경력, 인턴 경험, 역량을 증빙할 만한 활동 이력 등 갖추어야 할 스펙은 다양하다. 스펙 쌓기는 대학 입시에서부터 시작된다고 해도 과언이 아니다. 어떤 학교를 가느냐가 어떤 기업에 취업하느냐와 직결된다고 믿기 때문에 이른바 명문대학에 입학하기 위해 재수, 삼수를 마다하지 않는다. 하지만 이렇게 스펙 쌓기에 열중한들 취업할 수 있는 곳은 많지 않아 대졸 청년의 41%가 첫 취업을 위해 1년 이상의 기간을 소비한다.

패자부활전이 없는 나라

대졸 취업난의 첫째 원인은 과도한 대학 진학이라고 볼 수 있다. 대학 진학률은 전문대를 포함하여 1991년 31.1%, 2000년 68%, 2008년 83.8%로 지속적으로 높아지다가 2012년엔 71.3%로 하락했지만, OECD(경제협력개발기구) 국가들에 비해 여전히 높은 상황이며, 특히 명문대 입시를 둘러싼 경쟁은 더 치열해졌다.

한국직업능력개발원의 분석에 따르면 대학 졸업자들이 주로 취업해야 하는 일자리, 즉 전문직종(전문가, 기술공 및 준전문가 등)의 비중이 OECD 주요국의 절반 수준으로 나타났다. 2008년 기준으로 OECD 주요국은 그 비율이 41.2%인 반면 우리나라는 22.4%에 불과하다. 즉 대학을 졸업한 청년들이 원하는 일자리는 OECD 주요국에 비해 적은 편임에도 불구하고 대학을 졸업하는 청년들은 훨씬 더 많은 것이 우리의 현실이다.

많은 대졸 청년들이 취업에서도 재수, 삼수를 하는 현상이 나타나는 데는 이런 배경이 있는 것이다. 이들은 휴학을 통해 시간을 벌어 각종 스펙을 쌓거나 졸업을 유예하는 경우가 많다. 이 때문에 최근 대학 졸업생의 연령은 점점 높아지는 추세며, 따라서 대졸 신입사원의 평균연령도 점점 올라가고 있다.

대학 졸업생, 즉 취업준비생의 목표는 대개 획일적이다. 연봉을 많이 주는 대기업, 공기업, 금융권 등에 모든 취업준비생의 관심이 쏠려 있다. 자신의 적성이나 역량 등을 고려하기보다는 연봉, 기업의 인지도와 규모 등 외형적인 조건으로 취업 목표 기업을 선택하는 경우가 대부분이기 때문이다. 2013년도 삼성그룹의 입사시험인 SSAT와 현대기아자동차 입사시험에 각각 10만여 명이 몰린 것은 이런 맥락에서 이해될 수 있다.

취업준비생들의 대기업 쏠림 현상과 대조적으로 중소기업은 인재를 구하기 힘들다고 하소연한다. 중소기업에서 원하는 인재들은 대기업 취업을 목표로 재수, 삼수를 하고 있기 때문이다.

대학 졸업자 중에서도 지방 사립대 등 지명도가 낮은 대학을 졸업한 취업준비생들의 상황은 더욱 열악해 중소기업 문턱조차 넘지 못하고 좌절하는 경우도 허다하다. 이들은 '대학 졸업장'을 쥐었지만 그에 걸맞은 곳에 취직할 가능성은 희박하다. 결국 파트타임 업무나 비정규직을 전전하며 생계를 이어가는 이른바 '88만 원 세대'로 전락하기도 한다.

많은 전문가들이 청년실업 문제의 대안으로 '창업'을 얘기하지만 창업도 쉽지는 않다. 국내 창업의 활력 정도를 나타내는

지수로 '기업신생률'이라는 것이 있다. 가동사업자 대비 신규사업자의 비율을 나타내는 지표로서 새로운 기업이 얼마나 생겨났는지를 알려준다. 기업신생률은 2001년 28.9%에서 2011년 20.2%로 하락했다. 또한 국내 신규사업자(사업자 등록 기준) 역시 2002년 123만 9000개로 최고치를 기록한 후 2007년 이후에는 100만 개 수준을 유지하는 데 그치고 있다. 특히 청년들의 창업이 저조하다는 사실은 또 다른 문제점으로 지적된다. 구체적으로 자영업자의 창업 현황을 살펴보면, 20대 이하 자영업자 수는 50, 60대 이상 연령층에 비해 매우 낮은 편이며, 30대의 경우 자영업자 수가 급격히 감소하고 있어 이들의 창업 의지가 약화된 것으로 보인다.

현대경제연구원의 조사에 따르면 창업에 관심을 표명하는 사람은 10명 중 4명 정도이며, 이들 가운데 구체적으로 창업을 고려하는 사람은 21.7%에 달했다. 대체로 여자보다 남자, 비수도권보다 서울, 비이공계열보다 이공계열이 창업을 좀더 고려하는 것으로 조사됐다. 하지만 창업에 대한 이런 관심이 실제 창업으로 이어지는 사례는 드물다. 왜 그럴까. 그 이유를 살펴보면 다음과 같다.

첫째, 창업에 대한 부정적인 인식 때문이다. 이런 부정적인 인식이 확산된 이유는 바로 창업 실패로 인한 영향이 개인에게 고스란히 전가된다는 데 있다. 즉 기업파산에서 끝나는 것이 아니라 개인파산으로까지 이어질 수 있다는 우려 때문이다. 실제로 가족 중 한 명이 창업을 하고 실패하면 가족 전체가 경제적 인 위험에 노출되는 사례가 많다.

둘째, 창업 실패 후 재기하기도 어렵다는 점 때문이다. 우리 나라는 '패자부활전'이 없는 나라다. 어느 분야에서건 한 번 실패를 경험하면 다시 기회를 얻을 가능성이 매우 낮다. 사회적 인식이나 제도적 장치 등도 재기의 기회를 노리는 실패자의 발목을 잡는다.

셋째, 무엇보다 창업 이후 성공률이 너무 낮다. 기획재정부가 발표한 「자영업자 동향과 시사점」에 따르면 1년 기준 개인사업자의 창업 대비 폐업률은 85%로 나타났다(2013년 8월 기준). 10명 중 8명 이상이 1년 안에 문을 닫는다는 말이다. 자영업의 성공 조건이라는 '돈'과 '사람' 중 어느 것도 충족하기 힘든 청년들의 창업이 더욱 어려운 것은 말할 필요도 없다.

능력 중심의 구인구직

청년실업의 악순환을 끊어내기 위해서는 개인이 자신의 직업능력을 정확하게 측정하고 그에 맞는 일자리를 찾는 것이 필요하다. 이를 위해서는 일자리를 찾는 구직자들의 데이터베이스와 인재를 찾는 기업의 데이터베이스를 체계적으로 구축하여

서로 정확하게 이어주는 역할을 수행해 줄 기관의 역량을 강화할 필요가 있다. 이러한 기능이 체계적으로 작동된다면 국내 노동시장은 개방적이며 유연하게 형성될 것이다. 필요한 인재를 능력 중심으로 채용한다면 반드시 대학을 졸업해야만 한다는 기존 인식에서 벗어날 수 있다.

대학 교육 역시 획기적으로 바뀌어야 한다. 전문대뿐 아니라 4년제 대학에도 취업을 지원하는 교육이 필요하다. 특히 교육의 현장성 강화가 무엇보다 요구된다. 이를 위해 '3+1'(3년은 학교 교육, 1년은 현장 실습)이나 '2+2'(2년씩 학교 교육과 현장 실습)와 같은 체계를 과감하게 도입할 필요가 있다. 프랑스는 직업 중심 고등교육기관은 물론이고 기존의 학문 중심 고등교육을 실시하는 대학에도 취업 준비 기능을 의무화했다. 2007년 이후엔 심지어 철학과 학생들도 현장 실습을 하도록 의무화했다.

해외로 눈을 돌리자

취업 범위를 국내로 국한하기보다 해외로 눈을 돌리는 것도 중요한 해결 방법이다. 우리나라 청년인력은 우수하고 성실한 인재들로, 높은 경쟁력을 갖추고 있기 때문이다. 실제로 국토교통부와 해외건설기업협회는 국내 인재들을 해외 건설현장에 진출시켜 성과를 내고 있다고 한다.

아랍에미리트의 원자력발전소 건설현장, 태국의 가스플랜트 건설현장 등에는 현지 인력을 관리하거나 현장 운영을 담당할 인력이 많이 필요한 상황이다. 어느 정도의 외국어 구사 능력을 갖추고 글로벌 마인드를 가진 인재라면 누구든지 성과를 내면서 성공적으로 정착할 수 있다는 것이 현지 기업의 평가다. 2012년부터 시작된 해외 건설현장 훈련지원사업(On the Job Training, OJT)이 청년 일자리 창출과 해외 건설 전문인력 양성 측면에서 톡톡히 성과를 거두고 있다고 한다. 비록 낯선 이국땅에서 현지 언어, 현지 문화에 새롭게 적응해야 하는 어려움은 있지만 국내보다 높은 급여, 4~6개월 주기의 국내 휴가, 숙소 제공 등의 장점이 있어 청년들이 도전해 볼 만한 매력이 있는 것으로 평가된다.

이와 같이 우리 기업의 해외 현장에 청년들이 나가는 방법도 있고, 해외 기업에 직접 취업하는 것도 도전해 볼 만하다. 또는 해외 봉사활동을 통해 현지에서 활동하다 사업 아이템을 찾는 경우도 있고, 해외활동의 경험과 노하우를 살려 새로운 시장을 개척하는 데 활용할 수도 있다. 예를 들면, 중소기업과 영세 소상공인도 손쉽게 세계시장에 진출할 수 있도록 돕는 국경 간 상거래 사이트를 만드는 것도 하나의 방법이다. 외국어 번역, 해외 홍보, 바이어 발굴, 해외 전시, 전 세계 배송, 통화 결제, 사후 관리까지 수출에 관한 모든 과정은 사이트 운영자 측에서 진행하게 하면 중소기업과 영세 소상공인은 이에 대한 걱정 없이 새로운 판로를 개척하여 이윤을 얻을 수 있다. 이렇게 되면 겨울철 한국에서는 잘 판매되지 않는 수영복을 절기가 여름인 동남아 등지에 판매하는 것이 가능해질 것이다.

젊은이들이 해외활동을 통해 경험과 노하우를 축적할 수 있는 기회는 한국국제협력단(KOICA), 케이-무브(K-Move) 외에도 외교통상부, 국토부, 산업자원부, 교육부 등 정부 부처에서 부정기적으로 제공하는 프로그램들이 있다. 최근에는 정부의 지원이 다양하게 이루어지고 있으므로 청년들이 열정을 가지고 도전해 보기를 권한다.

창업을 활성화하자

청년 창업은 우리 경제에 활력을 불어넣을 수 있고, 신성장동력과 연결된다는 측면에서 매우 중요하다. 창업 활성화를 위해서는 첫째, 창업과 관련한 학교 교육 프로그램을 어려서부터 제공함으로써 창업을 두려워하지 않는 사회적 분위기를 조성해야 한다. 창업 관련 학교 교육의 부재가 창업 방법에 대한 무지로 이어지고, 창업하고 싶어도 하지 못하는 악순환을 야기하는 면이 있다. 따라서 관련 교육을 활성화해 어려서부터 이에 대해 생각해 볼 수 있는 기회가 많도록 만들어야 한다.

둘째, 창업 생태계를 만들기 위해서는 창업 자금을 지원받을 수 있는 기회가 많이 주어져야 한다. 개인의 창업 실패가 개인의 부채로 고스란히 남는 현재의 창업 환경에서는 개인의 창업에 한계가 있을 수밖에 없다. 따라서 아이디어를 인정하여 창업자금을 지원하는 창업자금 지원 시스템이 구축되어야 한다. 창업에 실패해도 다시 기회가 주어지는 패자부활전이 가능하려면 좋은 아이디어, 획기적인 사업계획의 가치를 인정해 주는 분위기, 창업 환경이 조성되어야 한다.

셋째, 아이디어를 창업으로 연결해 주는 컨설팅이나 멘토(mentor) 제도 등의 시스템을 마련해야 한다. 창업 아이디어를 실현하기 위해서는 여러 가지 어려운 과정에 부딪히게 되는데 이 과정에서 실질적인 도움을 받을 수 있어야 한다.

높은 청년실업률=국가경쟁력 약화

청년 일자리 문제는 비단 청년들만의 문제가 아니다. 청년들의 삶의 질 악화는 가정은 물론, 지역, 국가에도 부담이다. 장기적인 관점에서는 국가경쟁력 약화로도 이어진다. 먼저 전체 노동인구가 늙어가면 기업의 임금 부담이 상승하게 된다. 청년들이 초기에 적절한 일자리에 취업하지 못하면 불안정한 일자리를 전전하거나 오랫동안 취업하지 못한 상태로 계속 지내게 될 가능성이 높다. 조사에 따르면 1년 정도의 실업 기간을 보낸 청년들의 소득이 단기적으로 8조 3600억 원, 장기적으로는 39조 6600억 원만큼 사라진다.

또한 정부가 부담할 사회적 비용도 그만큼 늘어날 수밖에 없다. 청년실업에 따른 소득세 수입 손실이 1조 2340억 원 정도로 추산되는데, 여기에 부모 세대의 노후 보장에 대한 정부지출까지 더하면 문제는 더욱 심각해진다. 공식 청년실업률이 아니라 '취업을 포기하고 그냥 노는' 사실상의 실업자까지 포함한 체감 청년실업률로 계산하면 이러한 수치들은 1.5배나 커진다. 결국 우리 경제의 활력이 떨어지는 것은 물론이요, 부모 세대의 노후 준비 부실, 청년 세대의 생활기반 부실 등으로 이어져 심각한 사회문제를 가져올 수 있다. 청년실업은 국가의 미래 활력과 직결되는 문제임을 잊지 말고 구호에만 그치는 전시 행정이 아닌 장기적 안목을 바탕으로 한 실질적인 해결책 마련이 필요하다. 그러므로 취업전쟁 현장에서 피부로 체감하는 청년들과 교류하면서 얻어내는 아이디어들이야말로 책상머리에서 나오는 보고용 정책과 차원이 다른 살아 있는 대안이 될 수 있을 것이다. 이런 대안들을 발굴하는 데 모두가 힘을 합쳐야 한다.

이혜훈이 만난 사람

전국백수연대 대표 주덕한

일자리는 인간의 존엄이다!

이혜훈 청년실업의 현실, 어떻게 보시나요?

주덕한 청년실업 문제는 당사자들의 문제일 뿐만 아니라, 바로 내 가족, 지역사회의 문제이자 주요 국정 과제이기도 합니다. 대한민국 미래에 관한 쟁점이니까 관심을 갖지 않을 수 없습니다. 한데 총론에서는 누구라도 그 해결의 시급성에 대해 동의하지만, 각론으로 들어가면 문제점의 원인이나 해법이 제각각입니다.

제가 오랫동안 현장에서 활동해 보니 청년실업 문제와 관련하여 이런 말씀을 드리고 싶습니다. 청년실업은 내막을 들여다보면 형태가 천차만별입니다. 소위 명문대 졸업하고 원하는 기업에 취직하지 못한 경우에서부터 지방의 전문대나 고등학교를 졸업하고 여러 가지 제약 때문에 취업하지 못한 경우까지 다양합니다. 제가 운영하고 있는 백수연대에는 좋은 조건, 즉 흔히 말하는 스펙이 좋은 사람들보다는 조건이 좋지 않은 취약 청년층의 사람들이 주로 들어와 있습니다. 취업한 것도 아니고, 학생도 아니고, 직업훈련을 받는 것도 아닌 사람들 말입니다. 요즘 이런 사람들을 '니트족'*이라고 하는데요. 젊은 사람들이 대학을 졸업했으면 취업을 해야 하는데 아무것도 하지 않은 채 미루는 거예요.

저희 회원 중에 한 여자분이 있었는데, 니트족이었어요. 대안학교를 졸업하고 나서 2년 동안이나 취업을 못 해서 어려움을 겪고 있던 중 우리와 상담을 하게 되었어요. 이 친구가 취업이 안 되니

* 니트(NEET, Not in Employment, Education or Training)족 일본에서 처음 사용하기 시작한 말이다. 자유롭게 살기 위해 고정적인 직장을 거부하거나 포기한 채 아르바이트로 생활하기를 고집하는 '프리터'(프리랜서와 아르바이터를 합성한 일본어)와는 다르다.

까 지방에 있는 대학이라도 가야겠다고 하더군요. 도저히 대학을 안 나오고는 안 되겠다고 생각했나 봐요. 그런데 대학에 가서 적응을 잘 못 했어요. 결국 자살했습니다. 굉장히 안타까운 경우죠. 그걸 어떻게 손을 쓸 수가 없는 상태였으니까.

우리나라에 이런 니트족이 100만 명은 넘는 것으로 추산됩니다.

이혜훈 어떤 형태가 가장 많은가요?

주덕한 고등학교나 대학교를 졸업했는데 취업할 곳이 없는 경우죠. 이른바 '좋은 일자리'가 많이 줄어든 데다 비정규직 일자리마저도 쉽게 구할 수 없기 때문에 구직 활동을 중단하는 경우가 꽤 많습니다. 취직한 경우에도 여러 사유로 퇴사한 다음 구직 활동에서 멀어지는 사람도 있고요. 어느 경우든 사회관계가 고립되는 경향이 있어요. 이 사회적 고립감이 '취업 우울증' '게임 중독' '가족 불화' '자살' 같은 부정적 니트 현상을 불러오게 됩니다.

지금 청년세대는 앞도 막혀 있고
뒤도 막혀 있다고 봐야 됩니다.
가는 중간에라도 길을 찾을 수 있어야 하는데
그게 불가능해요.

이렇게 니트족이 된 청년들은 향후 큰 사회적 문제가 될 수 있습니다. 이웃 일본의 사례에서 알 수 있듯 이들 니트족들은 나중에 취업한다 하더라도 비정규직이 될 가능성이 높을 뿐 아니라 비정규직 중에서 조건이 열악한 일을 가질 공산이 큽니다. 이들은 소득이 아예 없거나 일정하지 않은 경우가 많아 국가경제로 보면 세금을 낼 형편이 못 되는 국민들이 많아지게 되는 것입니다. 세금을 제대로 못 내는 국민들이 늘어난다는 것은 결국 사회불안의 원인이 되고, 이 현상이 심해지면 국가경제의 뿌리가 흔들리게 되겠지요. 그렇게 크게 볼 것도 없습니다. 청년실업은 바로 내 아이, 가족의 문제이기에 무엇보다 심각한 것입니다.

공무원 시험이나 대기업 입사를 준비하는 일부 청년 구직자들 중에는 취업할 곳이 없는 게 아니라 자기 마음에 드는 일자리를 구하지 못해 실업 상태인 사람들도 물론 있습니다.

이혜훈 마음에 드는 일자리라 … 삼성이나 현대자동차나 LG전자 같은 대기업 일자리로 해석해도 되겠죠? 대기업에 취직이 안 되면 다른 일자리를 구하지 않은 채 계속 취업 노력을 하는 경우가 상당히 많다는 거죠? 이런 경우 눈높이가 좀 너무 높은 것 아닌가 하는 지적들도 있는데요. 물론 당사자들은 수긍하지 않겠지만 말이에요. 중소기업에서는 사람을 못 구해서 힘들어하잖아요. 눈높이를 맞춰서 중소기업 같은 곳에 가서 행복하게 일하는 방법에 대해서는 어떻게 생각하세요?

주덕한 눈높이 문제를 얘기하면 세대 차이를 느끼게 됩니다. 우리 윗세대 어른들은 중소기업에 가서 좀 적게 받더라도 아끼고 살면 될 텐데 이해가 안 된다고 말씀들 하십니다. 제가 볼 때는 충분히 하실 수 있는 말씀이에요.

그런데 젊은 세대 입장에서는 가정을 꾸리고 유지해 나갈 수 있는 정도의 소득을 생각하면 중소기업을 택하기가 쉽지 않습니다. 우리나라 집값이 얼마나 비쌉니까? 생활비는 또 얼마나 많이 듭니까? 그런데 중소기업 중에는 2000만 원에 못 미치는 연봉을 주는 곳이 많아요. 열심히 일하면서 월급 받아 저축하면 집을 살 수 있다는 계산이 나와야 되는데 그게 안 되는 거죠. 그러니까 직장을 못 구하는 거예요.

또 요즘은 서울대, 연세대, 고려대, 소위 SKY를 나와도 원하는 곳에 취업할 가능성이 그렇게 높지 않아요. 예전만 해도 SKY를 나오면 좋은 곳에 취업할 수 있었는데, 요즘은 경쟁이 치열해서 서울대 졸업생이라고 해서 삼성에 들어갈 수 있다는 보장이 없어요.

그러면 이런 사람들은 좀 낮춰서 들어가요. 서울대 졸업생이 낮추니까 다른 대학 졸업생들은 더 낮춰서 가게 되죠. 고졸 구직자들은 말할 나위가 없습니다. 다들 나름대로는 눈높이를 낮추고 있어요. 그렇게 하다보니까 더 이상 낮출 수가 없는 거죠.

게다가 대기업 입사도 답이 아니죠. 대기업 들어간 선배들이 후배들에게 대기업이 무조건 좋은 일자리는 아니다, 한 3년 다니다가 잘릴 수도 있고 계속 다닌다고 해도 몇 살까지 다니겠냐는 이야기를 많이 하거든요. 그러니까 가장 좋은 일자리, 안정적인 일자리는 공무원이라는 인식이 팽배해 있어요. 그래서 결국 선택하는 것이 공무원 시험이에요. 우선 공무원 시험 보고, 안 되면 공기업, 그 다음에 대기업에 지원하는 거예요. 물론 삼성전자 같은 특별한 곳은 사정이 좀 다르겠지만 일반적인 대기업에 대한 선호도는 공무원이나 공기업보다 낮은 편이에요.

대기업의 좋은 일자리도 갈수록 줄어들고 있어요. 기업 입장에서도 전 세계적으로 경쟁을 하고 있기 때문에 고임금, 정규직 일자리를 줄이고 그 일자리를 비정규직으로 메우고 있거든요. 정규직, 고임금 일자리가 줄어들고 비정규직 일자리가 늘어나면서 커다란 격차가 생기는 겁니다.

그래서 학벌은 괜찮은데 일자리 없는 사람이 진짜 너무 많아요.

괜찮은 4년제 대학을 졸업한 구직자는 너무 많은데 그에 맞는 괜찮은 일자리는 너무 적거든요. 그 차이가 너무 크니까 눈높이 낮추기로도 해결이 안 되는 거죠. 부모 입장에서도 비싼 사교육 시키고 높은 등록금 내가며 뒷바라지 해줬는데 졸업하고 찾은 일자리가 연봉이나 조건이 시원찮은 곳이라면 차라리 공무원 시험이나 보라고 권하는 경우가 많거든요.

그러니까 지금 청년세대는 앞도 막혀 있고 뒤도 막혀 있다고 봐야 됩니다. 가는 중간에라도 길을 찾을 수 있어야 하는데 그게 불가능해요. 졸업하고 1년 내에 취업을 못 하면 정말 힘들어지거든요. 1년 이상 취업을 못 하고 있으면 학벌이 좋아도 취업이 어려워지거든요. 지방대 졸업자들은 말할 것도 없지요.

이혜훈 평소 정부에 건의하고 싶었던 얘기나 호소하고 싶었던 어려움은 없으신가요?

고등학교에 다양한 직업의 세계를 가르쳐주고
상담해 주는 전문교사가 있으면 좋겠어요.
아니 초등학교, 중학교 때부터 자신의 진로를
다양하게 모색할 수 있도록
도와주어야 한다고 생각해요.

주덕한 청년실업 문제는 교육, 주거, 결혼, 사회적 관습, 의식의 변화 등 일자리 문제 이외의 여러 가지 문제와도 연관되어 있기 때문에 단숨에 해결할 수 있는 문제라고는 생각하지 않습니다. 무엇보다 청년실업의 실상을 있는 그대로 드러내고 인정할 필요가 있습니다.

지금 청년실업률이 7%대라고 하는데 실제는 20%가 넘는다 하더라도 놀랄 일이 아닙니다. 단지 통계수치를 낮추기 위해 이런저런 일자리 만들어내고 그러는데요, 실업률 통계를 몇 % 낮추는 것이 무슨 의미가 있겠습니까. 예산만 쓰고 효과는 별로 없는 일이라고 생각합니다. 청년실업 문제는 앞에서 말한 것처럼 다양한 형태를 띠고 있으니 그 실태를 조사하고, 현장의 목소리도 들어보고, 거기에 맞게 해법을 찾아야 합니다. 그냥 문제를 나열하는 것으로는 해결할 수 없습니다.

예를 들어 니트족 같은 경우도 100만 명 정도 된다는 건 추산이고 정확한 숫자는 아직 파악이 안 되어 있거든요. 실태조사가 지금

2건 밖에 없습니다. 언론도 막연하게 '니트족 100만 명'이라고 하면서 '요즘 사람들 전부 다 놀고 있어 문제가 많다' 이렇게 나오거든요. 그런데 실제로 100만 명인지는 확인된 바 없고, 100만 명이라 할지라도 다 똑 같을 수가 없어요. 그리고 흔히들 일본 사례를 많이 얘기하는데 그건 일본의 사례일 뿐이에요. 먼저 우리의 문제를 정확하게 파악해야 해요.

고용노동부나 고용정보원에서 실상을 파악하려는 노력을 연속성을 가지고 해야 됩니다. 그런데 문제는 공무원들이나 산하 연구원에 계신 분들이나 1년 정도 하면 많이 바뀐다는 겁니다. 제가 관련 분야에 있다보니 그런 분들과 만나는 일이 많은데, 담당 공무원 분들이 어느 정도 기간이 지나면 다른 분으로 바뀌어 있습니다. 순환보직제인가 하는 제도가 있다는 것은 알고 있지만 너무 심하다 싶을 때가 많습니다.

다른 분야도 마찬가지겠지만 이 분야는 특히 연속성이 있어야 해요. 최소한 청년실업 담당자라고 하면 사무관이든 연구원이든 몇 년씩 지속적으로 해야 하거든요. 국회의원 중에서도 청년실업 문제를 전문으로 하는 분이 한두 분은 계셔야 합니다. 지방자치단체도 마찬가지입니다. 그래야 전문성도 생기고 현황 파악도 정확하게 하고 문제 진단도 제대로 할 수 있어요. 쓴소리 좀 하자면 청년실업 문제 해결하는 데 여야 구분이 왜 있어야 합니까? 정권 바뀔 때마다 새로운 정책이 나와 새로운 이름으로 포장되는데, 포장에만 신경 쓰지 말고 청년실업 문제의 알맹이에 집중해야 합니다. 실태를 정확히 조사하고, 정책 수립 과정에 민간 기구를 대거 포함하여 실효성 있는 중장기 정책을 세우고, 적어도 10년 정도는 추진할 수 있어야 합니다.

이혜훈 많은 청년들이 근로조건이 안 좋을 거라든지, 회사가 불안정할 거라든지, 월급 적게 줄 거라든지, 이런 막연한 편견을 가지고 있어 중소기업에서 채용 공고를 내도 아예 가지 않아요. 제가 정치권에 와서 유능한 젊은 인재들을 쓰고 싶어 공고를 아무리 내도 아무도 응시를 안 한다고 하소연하는 중소기업 경영자들이 많은 것을 보고 굉장히 놀랐어요.

그래서 중소기업하고 연계해서 중소기업 취업박람회도 여러 번 열었지요. 장소도 대학 강당으로 잡고 홈페이지에 광고도 많이 했어요. 그런데 막상 들어와 보는 사람은 별로 없는 거예요. 왜 이럴까 고민을 많이 했죠. 중소기업은 구인난에 허덕이고 대학생들은 취업문이 좁다고 불만이고. 이런 생각이 들더군요. 어쩌면 중소기업의 현실을 겪어보지 않았기 때문에 막연한 편견의 벽만 높아져 있는 건 아닐까.

그러던 중에 우리 당에서 청년들이 공감하는 정책(청년공책)을 공모했는데 그중에서 반짝반짝하는 아이디어를 얻었어요. 대학생들이 대부분 대기업 인턴을 하고 싶어 하니까 현재 고용노동부가 시행하고 있는 인턴제를 조금 바꿔서 대기업과 중소기업 인턴을 묶어보자. 인턴 1년 기간 중 6개월은 반드시 중소기업에서 인턴을 하도록 하고, 이 기간을 훌륭하게 끝낸 학생들에 대해서만 대기업에서 6개월 인턴 할 기회를 주는 거예요. 인턴에 대한 비용은 대기업으로부터는 받고 중소기업에는 좀 덜 받고 이런 식으로 하는 거죠. 그렇게 하면 두 가지 경험을 비교해 보고 '겪어보니까 중소기업도 나한테 맞더라' 해서 중소기업에 가는 학생들이 생기지 않을까요?

주덕한 찬성합니다! 그거는 바로 시행해 볼 수 있을 것 같은데요. 하나 더 제안하자면 초등학교, 중학교 때 직업에 대한 정보를 많이 습득할 수 있게 해주면 좋겠어요. 젊은 세대가 직업 세계를 잘 모르더라고요. 대학생조차도 자기가 관련된 분야만 좀 알고 있지 다른 분야는 잘 몰라요. 세상에 얼마나 다양한 종류의 직업이 있는지, 그 직업이 어떤 일을 하는 것인지 몰라요. 인턴제는 이런 면에서도 도움이 될 것 같아요.

이혜훈 그런 점은 우리가 학교 다닐 때와 별로 달라지지 않았다는 생각이 들어요. 제가 아이들한테 '세상에 어떤 직업이 있을 것 같니?'라고 물어보면 아이들이 20개도 채우지 못해요. 변호사, 교수, 의사 하고 몇 개를 더 얘기하고 나면 확 막히는 거예요. 그건 아이들 잘못이 아니고 우리 어른들 잘못인 것 같아요. 고용정보원의 직업사전에도 1만 3000개 가까운 직업이 있잖아요. 고등학교에 다양한 직업의 세계를 가르쳐주고 상담해 주는 전문교사가 있으면 좋겠어요. 아니 초등학교, 중학교 때부터 자신의 진로를 다양하게 모색할 수 있도록 도와주어야 한다고 생각해요. 어린 시절부터 자신의 진로를 모색하다 보면 굳이 대학에 가겠다고 치열하게 경쟁하는 것도 좀 줄어들 거고요. 경험을 해보고 나면 취업뿐만 아니라 창업에 대해서도 열린 마음이 될 것 같아요. 한국국제협력단 같은 곳에 예산을 지원하여 우리 젊은이들이 외국으로 나가 봉사하면서 많은 경험을 하게 해주면 돌아와서 완전히 다른 시각으로 새로운 진로를 선택할 수 있지 않겠어요? 새로운 창업 아이디어를 얻어오는 계기가 될 수도 있으니까….

주덕한 동의합니다! 어린 시절에 자연스럽게 다양한 직업 세계를 접해볼 수 있도록 하는 것도 필요하다고 생각합니다. 일본에서는 초등학생에게 일주일 정도 자기가 사는 동네의 가게에 가서 체험한 후 감상문을 쓰게 하는 경우도 있더라고요. 우리나라는 다들 너무 화려한 직업들만 생각해요

이혜훈 그렇죠.

주덕한 자신이 좋아하는 일, 보람을 느끼는 일을 하면서 행복을 느낄 수 있으면 좋겠어요. 연봉이 5000만 원이 안 되더라도 자기가 좋아하는 일이라면 기쁘게 할 수 있는 사회 인식이 있어야 해요. 또 그런 일을 하면서 길이 생기면 좋겠어요.

예를 들면 라오스라든가 베트남 같은 나라에 가서 새마을운동 같은 일을 하면서 도와주는 거예요. 2~3년 정도 일을 하다보면 시야가 넓어지고 기회가 올 수도 있겠죠. 그런데 국내에 돌아와서 할 수 있는 일이 있어야 하는데 그런 게 잘 연결이 안 되는 것 같아요. 또 외국 나가서 봉사하거나 교류활동 하는 것도 각종 규제로 제한받는 경우도 있고요. 우리나라 청년들이 외국에 나가 많이들 활동한다면 우리나라 기업들이 해외시장에 진출할 때도 도움이 될 거예요.

이혜훈 제가 전에 페루에 가서 그런 사람을 만난 적이 있어요. 페루에는 우리나라 고속도로 휴게소 비슷한 개념으로 잠깐 주차해서 정비도 받고 화장실도 가고 간식 같은 것을 먹을 수 있는 곳이 있

청년들이 해외에 자원봉사나 해외교류나
그런 식으로 나가서 경험을 하고 그러다가
의외의 귀한 아이디어를 얻어서
자기 사업도 하게 된다면 좋을 것 같아요.

는데 그곳에 들렀을 때예요. 거기 정비소에 1970년대 포니가 세워져 있는 거예요. 물어봤더니 정비소 주인이 한국 사람이었어요. 그래서 너무 반갑기도 하고 어떻게 이 먼 곳에서 정비소를 하고 있나 궁금하기도 해서 이것저것 물어봤어요. 이 사람이 오래전에 국제기구를 통해 자원봉사 하느라 페루에 왔었대요. 당시에 와서 보니까 자동차가 엉망이고 생산도 안 되고 그렇더래요. 그래서 한국에서 폐차되는 중고차를 생각한 거예요. 거의 공짜로 갖고 올 수 있으니 여기 들여와서 조금 정비만 하면 팔리겠구나 한 거죠. 그걸로 이 사람은 큰 부자가 되었대요.

제가 아는 또 다른 사람은 해외교류 프로그램으로 인도네시아에 가서 봉사를 했어요. 거기는 나무가 많으니까 톱밥이 그렇게 많더래요. 톱밥이 지천으로 널려 있고 그냥 갖고 가도 아무도 개의치 않는 것을 보고 이걸 한국으로 수입해 갈 생각을 한 거예요. 저는 잘 모르지만 톱밥이 친환경 연소재로 아주 좋다고 하네요. 이 사람도 톱밥 사업을 활발히 하고 있지요.

우리나라의 경우 창업해서 망하면
창업한 사람이 모든 책임을 져야 해요.
지나치게 창업을 강조하다 보면 자칫
신용불량자를 양산할 수도 있습니다.

청년들이 해외에 자원봉사나 해외교류나 다양한 방식으로 나가서 경험을 하고 그러다가 의외의 귀한 아이디어를 얻어서 자기 사업도 하게 된다면 좋을 것 같아요.

주덕한 그런데 창업에 관해서는 생각해야 할 것이 있습니다. 창업을 하는 것이 좋기는 하지만 성공률이 낮다는 거예요. 우리나라의 경우 창업해서 망하면 창업한 사람이 모든 책임을 져야 해요. 빚을 지게 되거든요. 미국 실리콘밸리에서는 창업 아이디어가 좋으면 투자를 받을 수 있어요. 개인의 직접적인 부담 없이도 아이디어만 좋으면 몇 번이고 창업을 할 수 있는 거지요. 하지만 우리나라는 개인이 빚을 지게 되니까 창업을 지나치게 강조하다 보면 자칫 신용불량자를 양산할 수도 있습니다.

이혜훈 맞아요. 우리나라에서 창업이라고 하면 대부분 자영업인데, 그 자영업의 현실이라는 게 아주 열악해요. 어려서부터 "나는

제빵기술을 연마해서 빵가게를 차릴 거야" 이렇게 원대한 꿈을 가지고 오랜 기간 40대 후반이나 50대 중반에 다니던 회사에서 해고되거나 일찍 퇴직하게 되면 얼마 안 되는 자금도 충분히 모으고 기술도 연마해서 창업을 하는 경우는 드물어요. 많은 경우 퇴직금만으로는 임대료 내기도 어려우니까 장비나 기계 같은 것 마련하느라 처제 시집가려고 들어둔 적금, 동서나 형님 돈 등을 이러저리 긁어모으고, 급하게 제빵학원 몇 개월 다닌 게 전부인 부족한 기술력으로 가게를 차리게 되죠. 당연히 자본력도 기술력도 모자라는 상황에 처하게 되는 거예요. 그러다보니 경쟁이 치열할 수밖에 없고 자영업의 생존주기는 짧아질 수밖에 없는 거죠. 짧게는 6개월~1년, 길게 가면 3년, 그런 거죠. 잘못되면 개인뿐만 아니라 주변 가족들까지 경제적으로 어려움을 겪게 되고요.

주덕한 저희가 소규모로 모여서 경험을 공유하고 대안을 제시하는 회의를 열어요. 소규모로 아이디어를 공유하는 사람들, 즉 비영리

단체 활동을 하는 사람들이 꽤 많아요. 이런 사람들이 모여서 경험이나 아이디어를 이야기하게 하면 좋은 얘기들이 많이 나올 겁니다. 이런 모임들을 죽 연결해서 한번 심도 있게 대안을 찾는 컨퍼런스를 열어보면 좋겠습니다.

이혜훈 그런데 백수연대 활동은 어떻게 시작하게 되었나요?

주덕한 취업도 안 되고 힘든 백수 생활을 하고 있었는데 어느 날 전기가 끊어지더라고요. 전기료를 계속 연체하면 전기가 끊어지거든요. 전기가 끊어지면 정말 되는 게 하나도 없습니다. 불도 안 들어오고, 냉장고, 컴퓨터도 다 꺼지고…. 그런데 한 가지 되는 게 있더라고요. 깜깜하게 불이 꺼진 상태에서 전화가 되는 게 참 신기했던 기억이 납니다. 아는 사람에게 전화해서 사정 이야기를 하고 전기료를 냈습니다.

일을 하고 돈을 버는 것이 그렇게 중요하다는 것을 절실하게 깨달았습니다. 인간이 인간답게 살기 위해서는 일자리가 필요하다는 것을 뼈저리게 느꼈습니다. 일자리라는 게 단지 일로 끝나는 게 아니라 인간의 존엄인 겁니다. 인간이 일자리가 없으면 사실 어떻게 뭘 할 수 있겠어요?

이혜훈 일자리는 인간의 존엄이다!

주덕한 네, 존엄이죠. 단지 돈 때문이 아니라, 인간이 인간다우려면, 인간이 최소한의 생활이라도 하려면 당연히 일자리가 있어야 되는데 그게 없을 때 굉장히 막막하다는 거죠. 그런데 재미있는 일이 있었어요. 당시 누가 저보고 비행기 삯을 줄 테니까 일본에 가라는 거예요. 돈도 없어 전기료도 못 내고 있는 저한테 말이죠. 일본에 가면 백수들의 단체가 있는데 한번 교류를 해보라고 하는 거예요.

갈까 말까 하다가 어차피 여기서 그냥 백수로 지내느니 가보자 했죠. 그래서 비행기표하고 돈 6만 원 들고 일본으로 출발했습니다. 일본 말도 할 줄 모르고 일본에 친구도 한 명 없었는데 그냥 갔어요. 먹을 거는 있어야 되니까 배낭에 김치를 3통 쌌어요. 그런데 도착해 보니 나리타 공항에서 신주쿠까지 가는 데 차비가 2만 3000원이더라고요. 라면도 한 그릇에 6000원이나 하고…. 걱정이 태산인 거예요.

그러다 일본의 백수 단체 친구들을 만났는데 이 친구들이 잠도 재워주고 여비도 좀 보태주고 그랬어요. 한국의 청년실업 문제도 좀 얘기하고, 『도쿄신문』하고 인터뷰도 했는데 인터뷰하니까 수고했다고 사례비도 주더라고요.

이렇게 6만 원으로 갔다 온 여행 경험이 생각을 많이 바꿨어요. 일본에 저처럼 그런 친구들이 많이 있더라고요. 프리터라고 해서 아르바이트로 생활하는 사람들이 있어요. 일주일에 3일 동안 아르바이트를 하는데, 그 친구들이 NPO* 활동을 하는 거예요. '일본

* NPO(Non-Profit Organization, 비영리단체) 주주의 이익이나 자본의 이익을 추구하지 않고 공익을 목적으로 하는 단체로 노동조합, 자선단체 등이 대표적인 예이다.

전통 목욕탕을 지키는 사람의 모임.' 이름도 이상해요.

이혜훈 전통 목욕탕을 지키는 사람의 모임!

주덕한 도대체 거기서 뭐하는 건데 하고 물었더니만 일본 전통 대중목욕탕인 '센토(銭湯)'를 지킨대요. 지역사회의 사랑방 역할을 해온 일본의 전통적인 문화시설인 센토가 사회구조의 변화로 사라져가고 있으니 일부라도 보존하자는 뜻이라고 하더군요. 그래서 뜻은 가상하지만 나이도 젊은데 돈도 안 생기는 일을 왜 하냐고 물어봤어요. 그랬더니 한 달 생활비는 얼마 안 들어 아르바이트를 해서 번 돈으로 생활은 된대요. 그런 이야기를 하는 그 젊은 친구들 표정이 참 밝은 겁니다. 문화적 충격이었어요. 그런데 그게 좋았습니다. 그때 돈 없어도 단체활동이 가능하다는 것을 느꼈습니다. 나름 괜찮아 보이기도 했지요. 한국에 돌아가서 돈 없어도 NPO 생활을 할 수 있겠구나 하는 생각을 했죠. 그게 백수연대 활동을 하게 된 계기가 되었습니다.

제가 일본 가서 느낀 점이 많아요. 아르바이트의 세계가 무궁무진한 거예요. 예를 들면 우동만 해도 우동을 만드는 기술이 있잖아요. 다양한 아르바이트의 세계를 보다보니까 흥미가 생기는 거예요. 우동 기술을 배워볼까 하는 의욕도 생기더라고요. 말하자면 취업의욕이 생기더라고요. 그 전에는 의욕이 없었거든요. 그래서 행사를 준비하고 있어요.

이혜훈 어떤 내용인가요?

주덕한 한국과 일본의 다양한 아르바이트 세계를 생생하게 보여주는 겁니다. 어른들은 잘 모르는 다양한 세계가 있거든요. 아르바이트라는 것이 잘 발전하면 어엿한 직업이 될 수도 있는 것이고요. 일본 백수들을 초청하여 한국 아르바이트의 세계를 체험하게 하는 것도 생각하고 있습니다. 다큐멘터리처럼 생생하게 기록하는 것도 계획하고 있습니다.

이혜훈 일하고 싶을 때 일할 수 있는 권리, 헌법이 보장하는 다른 권리들과 동등하게 존중받아야 된다고 생각해요. 그런 세상을 만들자는 것이 정치하는 이유입니다. 안 되면 될 때가지.

주덕한 1993년 성균관대학교를 졸업하고 벤처기업에서 일하다 1996년 애틀랜타 올림픽을 앞두고 마지막 직장을 뛰쳐나온 후 유럽과 일본을 여행하면서 다양한 NPO 활동가들과 교류했다. 1998년 『캔맥주를 마시며 생각해 낸 인생을 즐기는 방법 170』이란 책을 집필하여 저자로서 한 라디오 프로그램에 초대되어 갔다가 거기서 백수 조직을 제안하고 자신의 삐삐 번호를 공개했다. 이를 계기로 전국에서 모인 50여 명이 발기인이 되어 전국백수연대를 창립하고 인터넷 카페 '백수회관'(cafe.daum.net/backsuhall)을 개설했다. 그 후 청년실업자 자활공간인 '희망청'(청년실업네트워킹센터)을 만들어 청년 백수들을 위한 모임과 교육을 진행했으며, 2006년에는 서울시에 NGO(Non-Government Organization)로 등록되었다. 2009~12년 청년 백수 및 장애인 등 사회취약계층 고용과 독도의 전 세계 홍보를 목적으로 사회적 기업 '독도쿠키'를 인큐베이팅(incubating. '알을 품다'는 뜻의 영어 단어로, 빠른 시간 내에 기획한 사업을 달성할 수 있도록 토대를 마련해 주는 일을 가리킨다) 했으며, 2012년 19대 국회의원선거 당시에는 새누리당 비례대표 후보로 활동했다.

불안한 서민의 노후

재앙으로 다가오는 고령화

"도장 하나 받기가 이렇게 어려워서야…. 차라리 국회의원이 되는 게 빠르겠다."

민자당, 민정당, 민중당이 같은 편인지 다른 편인지도 모르던 사람이 갑자기 정치에 뛰어들게 된 계기 중의 하나가 국민연금 개혁이었다.

당시 정책자문을 하던 국책연구소에서 고령화 연구를 담당하고 있었기에 고령인구의 노후대책인 연금이 당연히 주된 연구주제였다. 우리나라 국민연금은 군부정권 시절 도입되었는데 조금 내면 나중에 많이 돌려주겠다는 방식으로 연금이 설계되었다. 군부정권에 대한 국민들의 신뢰가 낮아 근로기간 동안 매달 일정액을 불입하면 30년 후에 이자까지 붙여서 돌려주겠다는 정부의 약속을 국민들이 쉽사리 받아들이지 못했다. 이런 국민들을 설득해 국민연금제도를 정착시키려면 낸 것보다 많이 준다고 할 수밖에 없었기 때문이다. 태생부터 이렇게 적자가 날 수밖에 없도록 설계된 국민연금은 젊어서 매달 꼬박꼬박 불입한 국민연금을 은퇴 후에 받지 못하는 재앙이 예정되어 있는 시한폭탄이었다. 하루라도 빨리 이 잘못된 구조를 고쳐야 했다.

국민연금은 부도가 나면 그 피해가 다른 금융상품과는 차원이 다른 엄청난 재앙이 된다. 일할 수 있는 시기에 금융사기를 당하면 더 벌어서 만회할 기회라도 가질 수 있지만 이미 고령이 되어 은퇴한 후에 국민연금이 부도나면 더 이상 일을 할 수도 없는 상황이라 그 손실을 만회할 기회는 거의 없기 때문이다. 그냥 죽으라는 얘기다. 정부가 정부만 믿고 평생 꼬박꼬박 보험료 내온 국민들, 이제 일할 기력도 없는 노인들에게 약속했던 연금을 줄 수 없다는 것은 금융사기 중에서도 가장 악질적인 금융사기다. 정부는 지킬 수 없는 약속을 했음을 솔직히 고백하고 국민들을 설득해서 좀더 내고 좀 덜 받는 구조로 한시라고 빨리 고쳐야 했다.

이런 안타까운 마음에 청와대, 보건복지부, 재정경제부, 국회

등을 찾아다니며 서둘러 제도를 개혁해야 한다고 설파하고 다녔다. 정부 쪽에서는 관료들이 전문성도 있고 개혁의 필요성도 공감했다. 하지만 하나같이 법을 바꿔야 하는 문제인 만큼 국회의원들이 동의해야만 제도를 개혁할 수 있다는 답만 늘어놓았다.

국민연금 개혁을 위한 법 개정안을 발의려면 최소한 국회의원 11명의 도장이 필요했다. 그런데 문제는 국회의원들은 일단 만나기조차 어렵다는 것이었다. 몇 달씩 걸려 겨우 면담이 성사되어도 무성의하게 건성으로 듣거나 무슨 말인지 제대로 알아듣지도 못했다. 당시 국민연금개혁법안을 처리해야 할 보건복지상임위원회 위원장은 "소득대체율은 또 뭐야, 그런 거 알아야 하나"라며 짜증을 냈다. 국민연금제도 개혁에 있어서 가장 중요한 핵심개념이라고 볼 수 있는 소득대체율 자체를 처음 들어본다며 알고 싶지도 않다는 분에게 우리나라의 소득대체율이 OECD 평균보다 높기 때문에 이걸 낮춰서 국민연금 재정의 적자를 줄여야 한다는 설명을 해야 했다.

이렇게 1년을 국회를 좇아다녔지만 법 개정안에 도장 하나 받아내지 못했다. 그러던 중 생각지도 않던 정치권에 뛰어들기를 권유받았을 때 제일 먼저 떠오른 생각이 '국회의원이 된다면 개혁법안에 도장 받기는 식은 죽 먹기겠다'였다. 그래서 고민 끝에 십수 년 몸담아 온 경제학계를 떠나 정치권으로 뛰어들게 되었던 것이다.

한국이 선진국 클럽이라는 OECD에 가입하면서 축포를 쏘고 있던 1996년, 당시 프랑스 파리 OECD 사무국에서는 한국이 거의 관심을 갖지 않던 문제로 골머리를 싸매고 있었다. 이른바 인구고령화(Population Aging) 의제는 OECD에서 이뤄지는 수많은 회의에서 대개 최우선순위를 차지하는 안건이었다. 유럽 국가들이나 일본 등 연금 규모나 복지지출이 큰 선진국들일수록 인구고령화에 국가경제의 사활이 걸려 있었기 때문이다. OECD 고령화 태스크포스에 한국 대표로 참여하면서 우리나라에서도 곧 이 문제가 초미의 관심사가 될 수밖에 없다고 확신했다.

우리나라에서는 경제성장만큼이나 저출산 고령화도 세계 역사상 유례가 없을 만큼 빨리 진행되고 있기 때문이다. UN(국제연합) 분류상 전체 인구에서 65세 이상 고령인구가 차지하는 비율이 7% 이상인 고령화사회에서 14% 이상인 고령화사회로 접어드는 데 우리는 약 19년 정도가 걸릴 것으로 추정되고 있다. 프랑스가 77년, 일본만 해도 30여 년이 걸린 이 인구구성의 변화 과정을 한국은 그야말로 20년도 채 안 되어 뚝딱 해치우고 있는 것이다.

고령화사회에서 초고령화사회(65세 이상 고령인구가 전체 인구의 20% 이상인 사회)로 진입하는 속도도 '빛의 속도'나 마찬가지로 빠르다. 현재의 추세가 그대로 계속된다면 2026년 무렵이면 우리나라는 초고령화사회에 진입하게 된다.

UN이 추정한 통계에 따르면 2025년 무렵 65세 이상 인구가 총인구에서 차지하는 비율은 일본 27.3%, 스위스 23.4%, 덴마크 23.3%, 독일 23.2%, 스웨덴 22.4%, 미국 19.8%, 영국 19.4%로 예측되고 있다. 이 통계를 액면 그대로 받아들인다면 우리나라가 우리보다 고령화를 훨씬 먼저 경험한 미국이나 영국과 같은 선진국들을 제치고 머지않은 미래에 더 고령화되는 것이다.

이런 속도로 고령화가 진행되면 지금의 국민연금 체계로는 30~40년도 지탱하지 못하고 기금이 바닥날 수밖에 없다. 이렇게 상황이 다급한데도 우리 정부는 2000년대 들어선 이후에도 사실상 아무런 대책도 세우지 못하고 있었다.

인구쓰나미와 인구지진

저출산 고령화가 가져오는 사회적, 경제적 변화에 대해 전문가들은 '인구쓰나미' '인구지진'이라는 새로운 용어로 경고하고 있다. '인구지진'이라고 번역되는 영어 단어 'Agequake'는 나이를 뜻하는 영어 단어 'age'와 지진을 뜻하는 영어 단어 'earthquake'의 합성어로, 영국의 인구학자인 폴 월리스(Paul Wallace)가 그의 저서 『증가하는 고령인구 다시 그리는 경제지도』에서 "인구 감소와 고령화사회의 충격은 지진에 맞먹을 것"이라고 예측하면서 알려진 말이다.

월리스는 이 책에서 "이 같은 인구지진은 자연현상인 지진보다 훨씬 파괴력이 광범위할 뿐만 아니라 전방위적으로 영향을 미쳐 지진에 비유할 때 그 강도가 리히터규모 9.0에 달할 것"이라고 주장했다. 특히 베이비붐 세대가 은퇴하여 본격적으로 비경제활동인구에 편입되는 2020년경에는 세계 경제가 마치 지진처럼 충격을 받고 흔들리게 될 것이라고 경고했다.

저성장 고비용 사회

그렇다면 고령화가 우리 경제에는 어떤 쓰나미를 가져올 것인가? 한마디로 고성장은 더 이상 불가능하다고 요약할 수 있다. 고령화가 진행될수록 소비는 줄어들게 될 것이고 경제성장 속도가 느려질 수밖에 없기 때문이다. 또한 생산활동도 크게 감소할 것이다. 노인인구는 일반적으로 비경제활동인구인 데다 저출산으로 생산활동인구 자체가 급감할 것이기 때문에 기술 측면에서의 비약적인 도약이 없는 한 생산 감소는 명약관화하다.

반면 정부의 고령인구를 대상으로 하는 복지지출은 엄청난 규모로 늘어날 가능성이 있다. 무엇보다도 의료비가 급증하는 반면에 의료보험료 수입은 줄어들 것으로 보여 의료보험 재정이 더욱 악화될 가능성이 크다. 더불어 장기요양보험, 기초노령연금 등 노인 관련 사회복지제도 비용 지출이 천문학적으로 늘어날 것이다.

이 같은 인구학적 메가트렌드는 사회적으로도 커다란 영향을 미칠 것이다. 고령인구는 증가하는 반면 이들을 부양할 인구가 줄면서 노인 빈곤이 심각한 사회 문제가 될 것이다.

지금 우리 사회의 모습을 보면 부부가 아이 하나를 낳는 것이 고작이다. 머지 않은 미래에 한 공익광고처럼 전철 전체 칸이 노인칸이 되고 지금의 노인석은 소수의 어린이들에게 양보하는 일이 벌어질지도 모른다.

외동 아이는 대개 친가와 외가의 조부모 그리고 부모 등 최대 여섯 사람의 부양을 받고 성장하지만 반대로 어른이 되었을 때는 이 여섯 명의 어른을 홀로 부양해야 하는 상황에 처하게 된다.

그러나 이렇게 성장한 아이가 부모와 조부모를 직접 돌볼 가능성은 크지 않다. 결혼하자마자 독립하는 것이 추세이기도 하지만 한 명의 자녀를 양육하기도 어려운 현실에 여섯 명이나 되는 노인을 혼자서 모두 부양하는 것은 불가능한 일이기 때문이다. 그러므로 앞으로는 사회가 노인을 부양하지 않을 수 없게 될 것이다. 지금 사회보장제도에 대해 제대로 고민하지 않으면 어떤 재앙이 다가올지 장담할 수 없는 이유다.

신개념 효자, 국민연금

사회보장의 기초 제도 가운데서도 가장 대표적인 것이 국민연금이라고 할 수 있다. 우리나라의 경우 출생 신생아 수가 90만 명을 넘었던 1960년대, 70년대에는 초등학교 무상교육 등이 쟁점이었지만, 2000년대 후반 인구가 급격히 고령화하기 시작하면서부터는 '요람부터'보다는 '무덤까지'에 방점이 찍히면서 국민연금에 부쩍 무게가 실리고 있다.

국민연금은 18세 이상 60세 미만의 생산 가능 연령대인 대한민국 국민이 의무적으로 가입해야 하는 '노후저축'의 성격을 갖는다. 그러나 말이 저축이지 연금보험료를 내지 않을 경우 세금만큼이나 집요하게 개인을 추적하기 때문에 나중에 돌려받게 되는 '세금'에 가깝다. 직장생활을 하는 근로소득자의 경우, 소득의 9%에 해당하는 금액을 본인과 고용주가 각각 절반씩 부담하며, 자영업자 등 국민연금 지역가입자의 경우에는 스스로가 9% 전액을 납부해야 한다. 이렇게 조성된 국민연금 기금은 국가가 책임지고 주식과 채권 등 안전자산 위주로 운영하여 늘려나가고 있다. 가입자가 65세 이상 노인이 되거나 그 이전에라도 장애, 사망 등으로 소득활동을 할 수 없게 되었을 때 최소한의 생활이 가능하도록 설계된 국가 주도의 연금보험이 국민연금인 것이다.

우리나라는 아직까지 국민연금이 도입된 지 그리 오래되지 않았기 때문에 현재는 가입자에게 유리한 편이다. 연금 가운데 유일하게 물가상승률을 반영해서 지급하기 때문에 연금을 받는 기간이 길어질수록 물가를 고려하지 않는 개인연금보다 실질적인 보장 측면에서 훨씬 유리하다. 또한 보험사와 운영에 따른 수익을 비교했을 때 국민연금이 더 높다는 것이 경험적으로 입증되었다. 보험사는 사업비를 떼지만 국민연금은 사업비를 정부가 지급하기 때문이다.

불안한 국민연금

하지만 현행 국민연금에는 몇 가지 문제가 있다. 우선 연금액수가 충분치 않다는 것이다. 소득재분배의 효과가 있기 때문에 연금보험료를 많이 냈다고 해서 그 돈이 고스란히 나에게만 돌아오는 것은 아니며, 노년이 되어 개인이 받게 되는 돈, 즉 소득대체율은 생애평균소득의 40%에 불과하다. 그나마도 40년을 꾸준히 내야 받을 수 있는 액수인데, 직장생활자가 40년을 근무하는 것은 거의 불가능하기 때문에 실제로는 소득대체율이 40%를 훨씬 밑돌 수 있다.

더 원천적인 문제점은 우리 사회의 급속한 고령화로 인해

2060년쯤이 되면 국민연금 기금이 고갈되어 그나마도 받을 수 없으리라는 우려가 나오고 있다는 점이다. 우리 국민연금은 적립식이라고는 해도 실질적으로는 연금보험료를 낸 사람이 자기가 낸 것을 연금으로 받아가는 시스템이 아니라 내가 낸 연금보험료는 나보다 이전 세대가 연금으로 받아가고 내 세대는 그 이후 세대가 내는 연금보험료로부터 연금을 받게 되는 중첩세대(overlapping generation) 시스템 성격이 강하다. 그런데 머지않은 미래에 저출산·고령화로 연금을 받아야 할 노인은 잔뜩 늘어나고 정작 연금보험료를 내야 할 젊은 세대는 절대인구 자체가 줄어들게 되니 내가 받게 될 연금이 확보될지 불안해지는 것이다.

정부는 '국민연금은 국가가 최종적으로 책임지기 때문에 국가가 존속하는 한 반드시 지급될 것'이라고 장담한다. 최악의 경우 국민연금 지급에 필요한 재원을 해마다 예산에 반영해서라도 연금을 지급하겠다는 것이다. 실제로 전 세계적으로 공적연금제도를 실시하고 있는 나라 가운데 연금 지급을 중단한 예는 '현재까지는' 단 한 곳도 없다. 전문가에 따르면 최악의 경제상황에 직면했던 1980년대 남미 국가들과 1990년대의 옛 공산주의 국가에서도 연금 지급을 중단한 사례는 한 차례도 없었다고 한다. 만약 국가가 약속했던 연금 지급을 중지하거나 줄이면 대규모 폭동이 발생하여 국가의 존망 자체가 위태로워지기 때문일 것이다. 실제 프랑스와 그리스 등 재정난을 겪고 있는 나라들은 최근 연금 수급 연령을 몇 살 더 늦춰보려다가 거의 전쟁과도 같은 폭동을 경험했다.

연금 개혁, 반드시 해야 한다

선진국이 이미 경험하고 있는 재정위기와 연금 몸살은 우리 연금제도 개혁의 필요성을 일깨워주는 반면교사다. 2013년 말 기초연금과 국민연금을 연계한다는 정부안이 발표된 이후 국민연금 탈퇴 건수가 발표하기 직전보다 40%나 급증했다는 보도가 나왔다. 매년 증가세를 보이던 국민연금 임의가입자 수가 2012년 말에 비해 2만 2000명이나 줄어들었다는 것은 결코 소홀히 넘길 사안이 아니다. 기초연금 최종안 발표 이후 정부가 그동안 되풀이해 온 "보험료를 성실히 납부하는 분들은 손해 보지 않는다"는 설명만으로는 국민들의 불신을 잠재우기에 역부족인 것이 현실로 드러난 만큼 보완책 마련이 시급하다.

또한 국민연금은 특성상 그 어떤 사회보험보다 제도적 안정성이 더욱 중요한 만큼 '국민연금 기금 고갈'에 대한 가입자들의 불안을 불식하고 연쇄적 탈퇴를 막는 대책 마련에 최우선 순위를 두어야 할 것이다.

국민연금뿐만 아니라 군인연금과 공무원연금 등 갈수록 적자

보전액수가 늘어나 사실상 정부의 책임이 되고 있는 다른 공적 연금에 대해서도 개혁을 심각하게 고민해야 할 시점이다. 공무원연금과 군인연금은 이미 지속적이고 만성적 적자를 기록하고 있다. 그리고 그 적자폭이 매년 커지고 있는데, 2014년부터는 국민세금으로 메워야 하는 적자폭이 연간 4조 원을 넘어선다는 한국개발연구원(KDI)의 발표가 있었다. 공무원연금과 군인연금은 국민연금에 비해 더 조금 내고 더 많이 받는 구조이다. 공무원연금의 경우는 정부가 월급의 7%를 연금보험료로 지원해 줄 뿐 아니라 평균 연금 수령액도 국민연금의 2.6배로 높은 상황이다. 하루 빨리 이를 개혁하지 않으면 국민들의 세 부담은 걷잡을 수 없이 늘어나게 되는 상황인데, 정작 더 내고 덜 받아야 할 당사자인 공무원들이 개혁을 추진해야 할 주체이다 보니 개혁은 계속 미뤄지고 있다.

공무원연금과 군인연금 개혁의 필요성이 제기된 지 15년이 넘도록 아직 착수조차 안 된 것은 공무원들이 자신들의 처우에 대한 자체 개혁의지가 사실상 없다는 것을 보여준다. 정부는 기초연금과 국민연금의 연계 못지않게 시급한 공무원연금과 군인연금 개혁에 당장 착수해야 한다. 정부가 하지 않는다면 언젠가는 국민에 의해 강요될 것이며 그 결과는 스스로에 의한 개혁 때보다 더 강도가 높아질 것이다.

인구고령화에 따른 문제의 해법은 다른 뾰족한 묘안이 없다.

연금체계부터 더 내고 덜 받는 방향으로 고쳐나가고 무엇보다 재정 건전성을 유지하는 것이 최선이다. 그런 측면에서 정치권이 복지공약을 함부로 남발하는 건 후세에 씻을 수 없는 죄를 짓는 일이다. 보편적 복지의 함정도 바로 거기에 있다.

폭력에 신음하는 사회

하늘로 소풍 간 아이들의 명복을 빌며

"어떻게 사람이 저럴 수가…."

말을 이을 새도 없이 눈물이 앞을 가리고 가슴이 먹먹해졌다.

재보궐선거 개표일이었다. 새누리당 지도부가 모두 모여 애를 태우며 보궐선거 개표방송을 지켜보고 있는데, 뉴스에서는 8살짜리 여자아이가 소풍을 보내달랬다는 이유로 계모에게 맞아 갈비뼈가 16대나 부러져 숨진 사건이 보도되고 있었다. 이른바 '서현이 사건'이었다.

오열이 멈추고 나니 '아무리 어린아이지만 젊은 여성이 어떻게 단번에 갈비뼈를 16대나 부러뜨릴 수 있었을까, 오랜 기간 학대에 시달린 건 아닐까' 하는 의문이 꼬리를 물고 일어났다. 승부를 예측할 수 없던 화성보궐선거에서 예상을 깨고 우리 당이 2배 이상의 득표수로 이겼다고 축제의 분위기가 됐지만, '누구도 도와주지 않는 외로움 속에서 그 어린아이가 얼마나 고통과 공포에 떨었을까, 그런 정도의 폭력이면 아이가 수없이 비명을 질렀을 텐데 왜 옆집 사람들은 아무도 신고하지 않았을까' 하는 생각이 머리를 떠나지 않았다.

그 순간부터 이 사건에 대한 조사를 시작했다. 그 과정에서 도저히 믿을 수 없는 이야기들이 쏟아져 나왔다. 이웃들은 여러 차례 아동학대로 서현이네를 신고했지만 담당부서에서는 가해자인 동거녀와 나란히 앉혀두고 아이에게 학대를 받고 있냐고 묻고는 아이가 답을 못 하자 아이 교육에는 가정이 중요하다며 가해자가 통제하는 가정으로 즉각 돌려보내기를 반복했다. 이혼 당시 경제적 능력이 없어 친권을 빼앗긴 친모는 아이 소재를 파악하려고 기를 썼지만 친부와 동거녀가 아이 이름도 바꾸고 수없이 이사를 반복하는 바람에 학교나 동사무소에 가서도 아이의 주소를 알아낼 수 없었다.

인터넷을 뒤지다가 이 사건을 보고는 그냥 모른 채 앉아 있을 수만은 없었던 사람들이 모여 활동하고 있는 카페를 발견하고 회원들이 올리는 글을 날마다 읽었다. 혹시라도 정치인이 정치적 목적으로 접근한다는 오해를 받을까봐 실명으로는 글을 올리지도 못했지만 수많은 양심들의 오열과 절규를 생생히 읽으면서 이런 세상을 바꾸지 못한다면 정치하는 의미가 없다고 수없이 되뇌었다.

사실 서현이만이 아니다. 서현이, 성민이, 나람이, 건희, 신비, 이름도 기억할 수 없는 수많은 아이들이 학대와 폭력으로 목숨을 잃었다. 또 지금 이 시간에도 훈육이라는 이름 아래서 가해지는 학대 속에 고통받는 아이들이 너무나 많이 있다. 8살짜리 남자아이가 친부와 동거녀에게 골프채와 안마기로 맞아 숨진 사건, 계모가 남매에게 매끼 밥에다 소금을 3분의 1 정도 섞어서 먹이는 바람에 오빠는 겨우 생명을 건졌지만 여동생은 사망한 사건, 사람이 한 일이라고 믿기 어려운 일들이 연일 일어나고 있다.

새누리당 가정행복특위 위원장을 맡고는 가정(아동)폭력, 학교폭력, 성폭력, 자살 문제에 대한 맞춤형 대책을 만드느라 관련 전문가, 피해자, 피해자가족, 상담요원, 경찰, 검찰, 판사 등 42명을 모아 반년 동안 31회의 공청회, 세미나, 분과별 토의 등을 거듭했다.

아동폭력의 경우 현행법에서 고쳐야 할 문제가 한두 가지가 아니다. 우리나라에서는 오랫동안 아동폭력을 처리하는 절차와 기준이 가정폭력을 다루는 법과 형사소송법으로 나누어져 있었다. 형사소송법은 성인 간의 폭력을 다루는 법이다 보니 합의를 우선하는 경향이 있다. 하지만 아동폭력의 경우 가해자가 친부모나 가족인 경우조차 합의하면 된다는 식의 처리방식은 자기 의사표현도 자유로이 할 수 없는 피해 아동에게 아무런 보호막도 되어주지 못한다. 또 가정폭력 관련 법은 가정의 복원을 중시하는 경향이 있다. 그래서 아동학대 신고를 해도 가해자인 보호자의 말만 듣고 학대 행위자가 있는 가정으로 피해 아동을 돌려보내는 것이 일반적이다. 바로 이런 관행 때문에 서현이와 나람이가 고통 속에서 소중한 생명을 잃었다. 반드시 고쳐져야 한다.

그리고 방어할 힘도 없고 도망갈 능력도 없는 만 12세 미만의 아동에게 가해지는 학대 행위는 살인 행위나 다름없다. 그럼에도 불구하고 상해나 과실로 처리해서 가볍게 처벌하는 관행도 되풀이되고 있다. 뿐만 아니라 살인죄가 적용되지 않고 과실로 처리되기 때문에 형량 자체도 높지 않은 데다 초범이라 감형, 정상 참작해서 또 감형, 친부모가 처벌을 원치 않으면 또 감형, 이런 식으로 수많은 감경사유가 인정돼 아동을 살해해도 징역 1년 미만의 처벌을 받는 경우가 많다. 앞서 말한 소금밥을 먹여 여동생은 사망케 하고 오빠만 가까스로 목숨을 건진 경우도 가해자인 계모는 초범이고, 가해자의 남편이 되는 피해 아동의 친부가 처벌을 원치 않는 등의 감경사유가 적용되어 징역 8개월의 처벌을 받았다. 더 큰 문제는 계모가 출소하면 그 계모에게로 돌려보내질 오빠다. 그렇게 되면 아이의 목숨이 위험하다며 고모가 키우게 해달라고 애원해도 고모에게는 친권이 없다는 이유로 계모에게로 돌려보내는 우리 현실은 반드시 바꾸어야 한다.

아동학대 당사자 외 보호자, 동거인, 부모에게도 법적 책임을 엄중히 물어 강하게 처벌해야 한다. 같이 사는 아이를 사망에 이르게 한 계모나 계부의 학대 행위를 몰랐다는 친부나 친모의 진술 한 마디에 그 살인이 무죄가 된다는 것은 도저히 납득할 수 없는 일이다.

서현이 사건의 경우도 오랜 기간 갈비뼈가 16대나 부러질 만큼 구타당하고, 불로 지지는 학대를 수없이 당해 피부이식 수술을 수차례 받았고 이 때문에 사망 당시 엉덩이에는 뼈만 앙상하게 남아 있었다고 한다. 하지만 수없이 아동학대 신고를 해도 경찰서에 가서 조사받고 가정으로 돌려보내지기를 반복했다. 서현이가 학대받고 있다는 사실을 몰랐다는 진술 한 마디에 친부는 무죄가 되었다. 친부의 그러한 진술은 자신이 보호해야 했을 친자식에 대한 보호 임무를 소홀히 했다는 것을 자백한 것과 다름없는데 어떻게 이런 것이 아무 문제가 되지 않는가? 또 그런 친부가 살인자인 동거녀의 감형을 청원하면 감경사유가 될 수 있는 것인가? 이런 현행법은 하루라도 빨리 고쳐져야 한다.

현행법의 불합리한 점을 상당 부분 고친 아동학대방지특례법이 발의됐지만 이 사안을 담당해야 할 국회의 상임위원회인 법제사법위원회에서 1년 3개월가량 심사도 못 하고 묶여 있었다.

새누리당 최고위원으로 지도부회의 때마다 "어떠한 정쟁도 자신을 보호할 힘이 없는 어린아이들에게 가해지는 학대를 방지하는 법안보다 앞설 수는 없다, 다른 어떤 법률보다도 이 법이 최우선 통과되어야 한다"고 공개발언 하고 당대표와 원내대표께도 간곡히 부탁드렸다. 지성이면 감천이라고 그 법안이 법제사법위원회를 통과하던 날 그동안 함께 힘을 모아왔던 카페는 온통 축제 분위기였다.

이 법안의 통과만으로 폭력과 학대의 고통과 공포에 떠는 어린 영혼이 없는 세상을 단번에 완성하지는 못할 것이다. 하지만 마음과 정성을 모으고 거기에 열정을 더하면 이루어낼 수 있다는 믿음이 뭉쳐져 우리는 학대 없는 세상을 만들어나가는 첫걸음을 떼었다. 그런 세상을 만드는 것이 '이혜훈이 정치하는 이유'이다. 단번에 안 되면 될 때까지.

잔인해지는 학교폭력

"어머니 무슨 말씀을 그렇게 하세요. 걔가 얼마나 착한 아인데요."

빵셔틀로 고통받는 아들 문제를 의논드리러 담임 선생님께 상담하러 갔더니 돌아온 답이었다. 전학 온 지 얼마 안 되는 상황이긴 하지만 수면 중에 걸어다니는 몽유 증세를 보이고 한밤중에 깨어 울기도 해서 알아보니 빵셔틀로 고통을 받고 있었다. 처음엔 단순한 빵셔틀로 시작했는데 점점 도가 심해져 나중엔 아예 지갑을 털고 그것도 모자라 현금을 요구하며 괴롭히는 상황이었다. 선생님 앞에서는 모범생이 학교폭력 가해자로 순식간에 돌변하는 경우 선생님도 재간이 없긴 할 듯했다. 하지만 부모가 울타리가 되어주지 못하거나 자신의 어려움을 알리고 도움을 구하는 소통능력이 부족한 경우 어린 학생들은 아이들 장난처럼 시작된 폭력이 정신적 피폐나 영혼의 파괴를 넘어서서 생명을 포기하는 상황으로까지 내몰리고 있다. 가정과 학교, 부모, 교사, 친구, 이웃, 지역사회가 혼연일체가 되어 학교폭력을 근절하기 위해 힘을 모아야 할 이유가 바로 여기 있다.

"오늘은 12월 19일, 그 녀석들은 저에게 라디오를 들게 해서 무릎을 꿇리고 벌을 세웠어요. 그리고 피아노 의자에 엎드려 놓고 손을 봉쇄한 다음 무차별적으로 구타했어요. 또 제 몸에 칼집을 새기려다가 실패하자 제 오른팔에 불을 붙이려고 했어요.(…)걔들이 나가고 난 후 저는 제 자신이 비통했어요."

2011년 12월, 한 중학생이 자살하면서 남긴 '비통한' 유서이다. 이 중학생은 전깃줄로 자신의 목을 묶어 끌고 다니며 빵 부스러기를 주워 먹으라고 강요하는 친구들의 거듭되는 폭력을 견디다 못해 자살을 선택했다고 유서에 썼다. "매일 매를 맞고 남몰래 울고 억울하게 꾸중 듣던 시절을 끝낸다. 언젠가 가족들과 다시 만날 수 있었으면 좋겠다."

2013년 3월에는 경북 경산의 한 아파트 23층에서 15세의 고교 1년생 최모 군이 뛰어내려 숨졌다. 최 군도 두 장짜리 유서를 남겼는데, 그중에는 이런 내용도 있었다. "경찰 아저씨들, 학교폭력은 지금처럼 해도 100% 못 잡아내요. 반과 화장실 등 여러 시설에 CCTV가 안 달려 있거나 사각지대가 있습니다. 괴롭힘은 주로 그런 데서 받죠." 학교폭력 이야기가 나올 때마다 감시 카메라 설치를 늘리겠다는 등 실효성 없는 대책만 되풀이해 내놓는 어른들에게 어린 고등학생이 던진 마지막 절규와 질타였다.

우리나라 청소년(10~24세)의 자살률은 2000년 10만 명당 6.4명에서 2010년에는 9.4명으로 40% 증가한 것으로 조사됐다. 같은 기간 다른 OECD 국가 평균자살률이 2000년 7.7명에서 2010년 6.5명으로 감소한 것과는 대조적이다.

자살하는 청소년 5명 중에 1명이 학교폭력 때문인 것으로 추정되고 있으며, 이 같은 추세는 더욱 악화될 것으로 우려되고 있다. 학교폭력이 갈수록 지능화되고 있고 폭력의 가해자와 피해자의 연령이 낮아지고 있기 때문이다. 중고등학교에서 힘센 아이들의 강요로 빵이나 담배를 조달해 오는 이른바 '빵셔틀'은 기본이고, 비싼 운동화를 사오게 하는 '신발셔틀', 등교와 하교 때 교통카드로 버스 요금을 내게 하는 '버스셔틀' 등 각종 기기묘묘한 '셔틀'이 등장하고 있다. 이러한 신종 학교폭력은 인터넷이나 교통카드를 이용하기 때문에 파악하기 어려워 더욱 심각하다.

특히 최근에는 청소년들이 스마트폰을 이용해 사이버 공간에서 지내는 시간이 길어지면서 학교폭력이 사이버 언어폭력과 괴롭힘, 사이버 공간 왕따 등으로 변형되기도 한다. 대표적인 것이 소위 '떼카'다. '떼카'는 스마트폰의 채팅 어플리케이션을 이용해 피해 학생을 단체 채팅방에 불러낸 뒤 여러 명이 계속 욕설과 비방을 하는 것이다.

교육부가 2012년 발표한 「제2차 학교폭력 실태」를 보면 언어폭력과 사이버 공간에서의 폭력 비중이 점차 늘어나고 있다. 또한 피해를 입은 학생 비율이 초등학교 11.1%, 중학교 10.0%, 고등학교 4.2%로 나타나 학교폭력이 발생하는 연령이 점점 내려가고 있는 것으로 밝혀졌다.

학교폭력이 발생하는 현장은 교실을 비롯한 학교 안이 71.6%로 압도적으로 높았다. 다시 말해 학교폭력을 가장 가까이서 관찰하고 눈치챌 수 있는 사람들이 부모보다는 교사와 학교라는 뜻이다. 그런데 학교는 어떻게 해서든 학교폭력을 덮고 싶어 하고 교사는 외면하고 싶어 하는 경향이 있다. 웬만한 학교폭력은 사건이 발생해도 담당 교사나 학교, 가해 학생의 부모들이 "학생들끼리 서로 싸우기도 하고 그러는 게 당연하다"면서 별 일 아닌 것으로 덮어버리는 경우가 많고, 막상 대형 사고가 터지면 "그 정도로 사태가 심각한지는 전혀 몰랐다"고 부인하는 경우가 많다.

2009년 체험학습을 떠났다가 친구들의 집단폭력을 피해 베란다에서 떨어져 사망한 부산 정 양 사건도 별 일 아닌 단순 추락사가 될 뻔했는데, 부모의 애끓는 노력으로 사건 발생 2년 5개월여 만에 검찰이 재수사에 착수했다. 아버지 정 씨는 사건이 발생할 당시 인솔 교사들이 학생들이 술을 마시는 것을 방치해 추락 사건이 발생했다면서 교사와 학교, 교육청을 상대로 소송을 제기했고 2013년 법원은 정 양 부모의 손을 들어줬다. 부산지법은 체험학습에 참가한 여고생들이 통제력을 잃을 정도로 술을 마실 경우에는 싸움을 하거나 자살에 이르기까지 다양한 사고가 발생할 가능성이 충분하고, 담임교사가 학생들이 많은 양의 술을 마신 사실을 알았다는 점에서 이 사고는 예측할 수 있는 사고에 해당한다면서 부모인 원고에게 6354만 원을 배상하라고 판결한 것이다.

물론 현실적으로 교사 한 사람이 모든 학생들을 다 관찰하고 매 시간 쫓아다닐 수는 없는 노릇이다. 또 문제 학생의 뒤에는 문제 부모가 있는 경우가 허다하다. 하지만 말도 못 하고 누군가 눈치채 주기만을 기다리는 아이들의 소리 없는 구조신호를 교사는 무시해서는 안 된다.

대가족 사이에서 자라 자연스럽게 다른 사람들과 접촉했던 예전 세대와 달리 핵가족의 제한된 인간관계 속에서 자란 요즘 아이들은 갑자기 왕따를 당하거나 폭력을 당하면 이를 견디고 정신적으로 소화하는 능력이 부족한 경우가 많다. 특히 어린 학생들은 자신의 어려움을 전달하고 도움을 청하는 소통 능력이 부족하다는 것을 잊어서는 안 된다. 교사는 이런 학생들을 잘 관찰하여 부모에게 알리고 부모는 "우리 애는 그런 애 아니에요"라고 부인부터 하지 말고 현실을 제대로 이해하려고 노력해야 한다.

또한 아이들 사이에서 벌어지는 폭력이나 왕따 사건의 징후를 눈치챘으나 교사 혼자서 감당하기 어려울 때 함께 의논하고 해결할 수 있는 조직적이고 유기적인 시스템이 학교 내부는 물론 외부에 갖춰져야 한다. 경찰이나 유사기관, 심리전문가, 청소년전문가 들이 함께 조직적으로 학교폭력에 대처할 수 있어야 한다. 지금처럼 교사 한 사람에게 모든 부담을 지우는 방식으로는 절대로 학교폭력을 해결할 수 없다.

물론 우리 사회에 만연해 있는 폭력을 줄이기 위해서는 무엇보다도 아이들을 제대로 보살필 수 있도록 부모들이 제대로 서야 하며, 무한 경쟁으로 내모는 사회와 교육 환경이 바뀌어야 하고, 인권, 특히 여성과 어린아이 등 약자에 대한 인권 의식이 강화되어야 한다. 하지만 이런 근본적인 대책뿐 아니라 구체적인 제도의 변화도 필요하다.

예를 들면, 현재는 피해자가 경찰에 신고를 해도 경찰은 그 사실을 학교에 통보할 수 없는 상황이다. 학교폭력법 제20조에 의하면 '학교폭력의 현장을 보거나 그 사실을 알게 된 자'는 제삼자로 해석되기 때문에 소년법 제70조(소년 보호 사건과 관계 있는 기관은 그 사건의 내용에 관하여 재판, 수사 또는 군사상 필요한 경우 외의 어떠한 조회에도 응하여서는 아니된다)에 의해 경찰은 신고받은 사실을 해당 학교에 알릴 수 없는 상태이다. 따라서 학교폭력 예방 및 대책에 관한 법률 제20조의 개정이 필요하다. 학교폭력을 신고받은 기관이 소년 보호 사건과 관계 있는 경우에는 소년법 제70조의 조항에도 불구하고 관련 내용을 통보하도록 법 개정이 필요하다.

학교전담경찰관제를 내실 있게 확대할 필요도 있다. 최근 청소년들의 신체적 발육이 이전에 비해 월등해 폭력 학생들은 웬만한 선생님들은 겁내지도 않는다. 특히 여교사 비중이 높은 현실에서 교사의 지도력은 현장에서 많은 한계를 보이고 있다. 반면 경찰복을 입은 학교전담경찰관의 학교 내 부정기 순찰만으로도 상당한 계도 및 예방 효과가 있다는 것이 현장의 목소리들이다. 2012년부터 시범 시행된 학교전담경찰관제는 학교폭력 예방에 상당히 긍정적인 평가를 받고 있지만, 현재 근거규정이 법으로 명문화되어 있지 않고 인력 증원이나 재원 확보에 어려움을 겪고 있기 때문에 내실 있는 확충이 필요하다.

더 근본적인 대책으로 정확한 진실 규명에 입각한 원칙 있는 처벌도 강화될 필요가 있다. 최근 소년범죄는 수법과 규모 면에서 성인범죄 못지않다. 하지만 소년법 적용 연령이 14세이다 보니 성인범죄를 뺨치는 고도의 흉포하고 조직적이고 계획된 학교폭력이 처벌되지 않는 상황이 빈발하고 있다. 소년법 적용 연령을 14세보다 낮추는 방안을 검토할 필요가 있는 이유가 여기에 있다.

현재 운영되고 있는 학교폭력 관련자 사후 치료기관의 운영 또한 내실화가 절실하다. 가해자와 피해자를 동시에 수용하면서 형식적으로 운영되는 바람에 오히려 피해자의 정신적 피해나 2차 피해를 유발하고 가해자들의 해방구로 전락하는 경우가 상당수 발견되기 때문이다.

선생님이나 부모님께도 말씀드리지 못하고 고통과 공포 속에서 신음하는 학교폭력의 피해로 성장기가 왜곡되어 평생을 그 그늘에서 고통 받는 일이 없는 세상, 소중한 생명을 포기하는 일이 절대 없는 세상을 만드는 것이 '이혜훈이 정치하는 또 하나의 이유'이다.

사회에 만연한 성폭력

"밤길엔 뒤에서 발자국 소리만 들려도 불안해요."

성폭력은 누구도 예외 없이 이 땅에서 살아가는 모든 여성들의 공포일 것이다.

"칠순 노모도 귀가가 늦으면 걱정되는 게 현실이죠."

성폭력은 이제 여성들만의 공포가 아니라 딸 가진 아빠, 아내 있는 남편, 어머니를 모신 아들 등 이 땅의 모든 남성들에게도 최대 걱정거리가 되었다.

한국은 성폭력에 관한 한 발생률 세계 3위를 기록하며 고개를 들 수 없는 부끄러운 수준에 머물러 있다. 직장여성의 64%가 성희롱 피해를 경험했다고 고백하고 있다. 성폭행 범죄의 13.5%가 친족 내에서 이루어지고 있으며, 성폭력 가해자 중 83%가 아는 사람이라고 한다. 강간이나 성추행을 당한 후 6.1%만이 고소를 하고 있으며, 성폭행 범죄의 기소율은 41.3%에 그치고 있다.

무엇보다 심각한 것은 아동에 대한 성폭행이다. 자정 가까이 일정이 끝나고 몸살로 온몸에 근육통이 작렬하는 상황이었지만 심야상영으로 영화 『소원』을 보러갔다. 한시라도 빨리 보고 많은 사람들에게 꼭 봐야 한다고 강력하게 추천하고 싶어서였다. 심야상영이었지만 거의 만석이었고 『도가니』 때와 같이 상영관 전체를 뒤덮는 숨죽인 분노들을 또렷이 감지할 수 있었다. 대한민국 5000만 국민이 모두 봐야 한다고 외치고 싶었다. 성폭력은 피해자 한 사람만이 아니라 가족 모두의 삶과 영혼을 송두리째 파괴하는 얼마나 끔찍한 범죄인지 모두가 똑똑히 알아야 한다는 생각이 간절하다. 우리나라의 경우 성폭력이 근절되지 않는 가장 근본적인 이유는 성폭력에 대한 인식이 잘못되어 있다는 것이다.

이런 인식의 대대적인 전환을 요구하며 2012년 가을부터 새누리당 최고위원회의에서 공개발언을 통해 성폭력 근절을 위한 양형기준 개선을 촉구해 왔다. 술 취한 가해자가 등굣길의 피해아동을 끌고 가서 인근 교회 화장실에서 목졸라 기절시키고 이루 말할 수 없는 가혹한 형태의 성폭행을 저지른 '조두순 사건' 이외에도 유사한 인면수심의 성폭행이 끊임없이 일어나고 있다.

2012년 발생한 13세 미만 아동 상대 성범죄자 중에서 55%가 실형을 받지 않고 벌금만 내거나 집행유예로 풀려났으며, 재범률이 50%에 달했다. 인면수심의 성범죄자 중 절반 이상이 수감생활을 하지 않고 거리를 활보했다는 얘기고, 그중 절반이 다시 흉포한 성범죄를 저질렀다는 얘기이다.

아동 성폭행 가해자가 실형을 살지 않고 풀려나는 사유는 크게 세 가지다. 첫째, 피해자와의 합의에 의한 것이다. 피해자 또는 그 가족과 합의를 했다는 이유로 가해자를 풀어주는 것이다.

하지만 광주 인화학교 교직원들이 어린 청각장애 학생들을 상습적으로 성폭행한 '도가니 사건' 등에서 보듯이 부당한 압력에 의한 합의가 다반사이다. 13세 미만 아동의 경우는 본인의 의사와 무관하게 법적 보호자가 대신 합의하는 일 또한 빈번하다. 뿐만 아니라 K대 여대생 성폭력 사건에서 보듯이 가해자 측에서 스토커처럼 피해자에게 합의를 종용하면서 정신적 피해와 2차, 3차 피해를 유발하는 경우도 많다. 원칙적으로도 피해자와 가족 전체의 영혼과 삶을 파괴한 범죄자가 합의서 한 장 받아왔다고 흉악범을 풀어주는 지금의 관행은 고쳐져야 한다고 촉구했다.

둘째, 상당 금액의 공탁금이다. 13세 미만의 아동을 성폭행해도 돈만 많이 내면 풀어준다는 것은 전형적인 유전무죄다. 반드시 없어져야 한다.

셋째, 음주로 인한 심신미약 또한 대표적인 감경사유였다. 심신미약 상태에서의 범죄에 대해서는 일률적으로 형을 감경한다는 형법 제10조를 만취 상태에도 적용하는 법원의 양형 기준은 문제가 있다. 정신질환과 같이 본인의 의지로 통제할 수 없는 경우와 음주처럼 스스로를 통제할 법적 책임이 본인에게 있는 경우를 구분하지 않고 어떻게 똑같이 적용하는지 이해할 수가 없다. 8세 아동을 잔인하게 성폭행했던 조두순에 대해서 '만취 상태로 인한 심신미약'이라는 이유로 형량을 낮춘 법원의 결정을 납득한 국민은 없었을 것이다.

조두순 사건으로 비난 여론이 일자 대법원의 양형위원회가 뒤늦게 만취를 감경사유로 인정하는 데는 신중하자고 결론을 내리기는 했지만 너무나 미온적인 대응이었다. 신중하자는 것만으로는 태부족이다. 만취는 오히려 공공의 기초질서에 반하는 중대한 사안으로 가중처벌 요인이 되어야 한다. 그래야만 음주로 인한 폭력과 각종 성범죄를 줄일 수 있을 것이다.

대법원 양형위원회에 합의, 거액의 배상금, 만취 상태를 감경사유에서 제외해야 한다고 지속적으로 문제 제기했고, 다행히 2013년 7월 대법원 양형위원회는 이런 주장의 대부분을 수용한다고 발표했다. 하지만 일선 법원에서 판결을 내릴 때 이 권고가 얼마나 이행되는지는 별개의 문제이므로 사법부와 우리 사회 전체의 관심이 지속적으로 필요하다.

우월적 지위를 이용하여 저지르는 성폭력에 대해서도 단호한 대응이 필요하다. 폐쇄적인 조직, 특히 남성 중심적 문화가 지배적인 조직에 근무하는 여성은 더 큰 어려움을 겪고 있다. 얼마 전 상사의 집요한 성상납 요구를 거부하자 10개월 동안 지속된 가혹행위를 끝내 견디지 못하고 자살한 여군 대위 사건은 빙산의 일각에 불과하다는 것이 중론이다. 그 여군 대위는 이미 약혼자가 있는 상황이었음에도 상사로부터 10개월에 걸쳐 언어폭력, 성추행을 포함해 성상납을 거절한 데 대한 각종 보복을 당했다고 한다.

최근 여군을 대상으로 하는 성범죄가 급증하고 있고 범죄 유형이 눈에 띄게 대담해지고 있다. 원인은 처벌률이 턱없이 낮기 때문이다. 최근 5년 동안 기소율만 해도 31%에 불과하고, 강간과 준강간조차 공소권 없음으로 처리되는 실정이다. 이러니 강간 미수나 강제추행은 더 말할 필요도 없는 게 지금 우리의 현실이다. 이렇게 낮은 처벌률의 근저에는 우리 사회 전반에 만연해 있는 인식, 즉 여성이 성폭행을 당했을 때 피해자가 그만한 원인을 제공했다며 피해자를 비난하는 분위기가 있고, 특히 군대에는 그런 인식이 더 강하기 때문일 가능성이 높다.

기업이나 일반 조직에서의 성폭력도 심각하기는 마찬가지여서 우월적 지위를 남용한 남성의 성폭력 사례는 일일이 열거하기도 힘들 정도다. 몇 년 전 우연히 시골의 한 농협에서 발생한 사건을 접하게 되었다. 그 농협의 K 국장이 여직원들을 상습적, 악질적으로 성추행해 피해 여직원들이 고소했고, 그 결과 K 국장은 대법원에서 유죄 확정판결을 받았다. 하지만 농협은 K 국장을 인사처리 하지 않았고 K 국장이 상사라는 지위를 이용해 오히려 소송에 참여한 여직원들을 이루 말할 수 없이 괴롭히는데도 방치하고 있다는 것이었다. 일단 사실관계를 파악해 보니 알려진 것 이상으로 성추행의 정도가 심각하고 악질적이었다. 또 피해자 중에는 정신병원에 수용된 사람, 직장에서의 행실이

어떠했길래 그런 성추행에 연루되었냐며 남편으로부터 이혼당한 사람도 있었다.

해당 농협의 조합장에게 성추행으로 유죄판결을 받은 사람을 피해자들의 상사로 앉혀두는 것은 부당하다고 문제를 제기하며 시정을 요청했지만 남의 직장 일에 관여하지 말라는 핀잔만 들었다. 재선 국회의원임을 밝혔지만 시종일관 반말로 응대하던 조합장은 대화 도중 전화도 일방적으로 끊어버렸다. 공무와 관련된 전화조차 여성이라는 것을 확인하는 순간 하대하며 무시하는 사람들은 이미 숱하게 접해온 터였다.

다시 전화해서 농협은 국민의 세금으로 지원을 받는 기관이기 때문에 국회 기획재정위원회 예산결산 소위원장으로서 문제제기할 수 있는 권한이 있다고 설명하고 유죄판결이 확정되어 처벌받은 사람은 인사조치를 해야 한다고 요구했다. 하지만 조합장은 농협의 정관에 인사상 불이익을 줄 수 있는 사유로 성추행이 명시되어 있지 않아 인사상 불이익을 줄 수 없다는 답변만 반복했다. 농협의 정관을 찾아보고 나서 미풍양속을 해친 경우 인사상의 불이익을 줄 수 있다고 명시되어 있으므로 이 규정을 적용하면 된다고 설명해도 막무가내였다. 방법이 없었다.

시간이 흘러 예산 심사 철이 되었다. 예상대로 농협이 예산지원을 신청했다. 성추행으로 유죄판결을 받고 처벌까지 받은 사람을 아무런 인사조치 하지 않는 농협, 인사상 불이익을 줄 수 있는 근거규정에 성추행은 없다는 농협에는 국민의 세금을 지원하는 것이 부당하다고 지속적으로 문제 제기하자 그 농협은 결국 K 국장을 인사처리 했다.

연말이 되자 피해 여직원들이 손으로 정성들여 쓴 편지를 보내왔다. 좁은 시골 동네이다 보니 동네사람들은 피해자들을 행실이 정숙하지 못한 여성으로 매도하기도 했고, 심지어 친정 식구들에게까지 의심받는 상황으로 내몰려 정신과 치료를 받는 상태였는데, K 국장에 대한 지난번 인사조치로 온 동네가 문제가 있는 사람은 피해자인 본인이 아니라 K 국장이었다는 사실을 인정하게 되어서 오늘 죽어도 여한이 없다고 쓴 부분에는 눈물 자국 때문에 글씨가 번져 있었다.

여성이라는 이유만으로 매도되고 무시당하고 억울한 일 당하지 않는 세상을 만들고 싶은 것, 이것이 '이혜훈이 정치하는 이유'다.

권구익·군위고등학교 피해 학생의 아버지 A 씨

학교폭력, 죽음의 무도회

아이가 학교에서 당하면서도 말도 못 하고
혼자 앓다가 가버린 것이 너무 억울합니다.
우리 아이 사건을 조사하러 다니면서
가장 안타깝게 생각한 것은 앞으로도
이런 사건이 반드시 또 있을 것이라는 점이었습니다.

이혜훈 대학 입학허가를 받아놓고 가장 행복했어야 할 때 어떻게 그런 비극적인 일이 발생했는지 정말 안타깝기 그지없습니다. 다시는 이런 문제가 재발하지 않도록 제도적인 보완책을 부모님들과 함께 고민하기 위해서 직접 찾아뵙고 말씀을 듣게 되었습니다.

A 씨 초등학교 때부터 애 둘을 혼자서 키웠습니다. 그러다보니까 죽은 우리 딸이 동생에게 엄마 역할도 했어요. 그런 착한 아이가 학교에서 당하면서도 말도 못 하고 혼자 앓다가 가버린 것이 너무 억울합니다. 우리 아이 사건을 조사하러 다니면서 가장 안타깝게 생각한 것은 앞으로도 이런 사건이 반드시 또 있을 것이라는 점이었습니다. 가해 학생들의 폭행이 더 교묘하고 더 잔인해질 것으로 우려가 됩니다. 그런데 정부에서 겨우 대책이라고 내놓은 것이 감시 카메라를 고화질로 설치한다는 것이에요. 제가 느끼기에는 많이 부족합니다. 형식적인 것 같아요.

이혜훈 경북 경산의 최모 군이 자살하면서 그런 내용을 유서에 남겼지요. 가해 학생들이 피해 학생을 감시 카메라가 없는 사각지대로 데려가서 때린다고요.

A 씨 저희 애 같은 경우에도 그렇게 당했어요. 다른 친구들이 옆에 없을 때, 혼자 교실에 있을 때, 아니면 이동 수업 시간에 혼자 복도를 걸어가고 있을 때 두세 명이서 에워싸 가지고 쿡쿡 쥐어박으면서 욕하고 이런 식으로 하니까 딱 떨어지는 증거가 나올 수 없잖아요.

가해 학생들은 대부분 중학교 때부터 '일진'* 같은 애들이고 얘네들이 계속 되풀이해서 폭력을 가하는 것이거든요. 저희 애는 거의 5년 이상 폭행, 구타, 욕설, 외모에 대한 놀림, 협박 다 당했습니다.

이혜훈 구체적으로 어떤 피해를 당했습니까?

* 일진(一陣) 혹은 일진회(一陣會) 학교 내에 존재하는 폭력조직을 일컫는 말로 일본에서 유래한 말이다. 폭력의 우열로 수순을 정해 놓고 일진(一陣), 이진(二陣)으로 우선 순위를 나타낸다. 일본에서는 1980년대에 처음 등장하였고, 한국에서는 1994년경부터 일진이라는 단어가 정착했다.

A 씨 처음 당한 것은 중학교 1학년 때였습니다. 우리 아이가 기숙사에서 자고 있는데 같은 방을 쓰던 고등학생 선배가 갑자기 가슴을 팍 치면서 일어나라고 그랬대요. 선배가 일어나라고 해서 영문을 모르고 일어나 있으니까, 그다음에 뺨을 양쪽으로 때리더래요. 나이 많은 고등학교 선배가 그러니까 겁이 나서 말도 못 하고 웅크리고 있었던가봐요. 이 고등학생 선배 말고도 중학교에서도 집단으로 몰려다니면서 우리 아이를 따돌림하고 구타한 애들이 7명이 있다고 하더라고요.

이혜훈 가해 학생들이 다른 애들한테도 그랬나요?

A 씨 다른 애들한테도 그랬다는데 저희 딸한테 제일 심하게 했습니다. 그 이유가 뭐냐고 물었더니 저희 애가 처음에 폭행당하고 집에 왔을 때 3가지 이유를 이야기하더라고요. 저희 애가 공부를 잘해서 초등학교 다닐 때 전교 학생회장까지 했어요. 그런데 중학교에 진학할 때가 되자 우리 지역 중학교의 교장 선생님이 당시에 군 단위에 학생이 모자라니까 저희 애를 그 학교에 보내달라고 그랬어요. 그러면 기숙사 같은 편의를 다 제공해 주겠다고요. 그래서 딸을 그 학교로 보낸 거거든요. 그런데 막상 가보니까 다른 학생들은 전부 같은 읍내에서 올라온 애들인데 우리 아이만 외부에서 왔더라고요.

이혜훈 외지에서 온 이방인이라고 그런 것이군요!

A 씨 그게 첫 번째고, 두 번째는 중학생은 원래 기숙사 생활을 못 하는데 저희 애는 중학생인데 기숙사 생활을 하고 있으니까 혼자 무슨 특혜를 받고 있느냐 이런 식으로 된 거예요. 세 번째는 자기 반에 말을 좀 어눌하게 하는 아이가 한 명 있었는데, 가해 학생들이 처음에는 그 애를 집중적으로 따돌렸대요. 그 애가 친구도 없이 아침부터 저녁까지 한마디도 못 하고 있는 걸 보고 저희 애가 너무 불쌍하다고 생각해서 쉬는 시간에 말 상대를 해줬답니다. 그걸 가해 학생들이 보고 우리 아이를 집중적으로 괴롭히기 시작한 거예요.

당시 그 문제로 제가 교장 선생님을 찾아뵙고 한 30분 정도 얘기했는데 나중에는 감정이 복받쳐서 울면서 얘기를 했어요. 학교에서 어떻게 어린애한테 그렇게 할 수가 있느냐고요. 교장 선생님이 다 알아서 조치를 취해주겠다고 약속을 해서 저는 다 처리된 줄 알았죠.

그런데 아니었던 거예요. 사건이 일어나고 나서 제가 학교에 가서 조사를 다 해봤거든요. 저희 애를 아껴주셨던 선생님한테도 물어보고 학생들한테도 물어보고, 가해 학생들에 대해 학교의 징계 기록이 있는지도 다 조사해 봤는데 아무 조치도 없었어요. 나한테는 조치하겠다고 약속을 하고는 그 교장 선생님이 그냥 덮고 넘어가 버린 거예요.

이혜훈 당시 학교가 아버님 이야기를 귀담아 들어서 초기 단계에서 조치를 취했더라면 이런 비극적인 사태까지는 오지 않았을지도 모르는데….

A 씨 중학교 1학년 때 그렇게 넘어가 버렸고, 3학년 때도 비슷한 일이 있었는데 그냥 넘어가 버렸고, 고등학교 1학년 때도 넘어가 버렸어요. 중학교 때부터 계속 같은 아이들로부터 괴롭힘을 당하는데 학교가 자꾸만 그냥 넘어가 버리니까 애가 계속 스트레스를 받은 거예요. 나한테 이야기해 봐야 해결이 안 되고, 학교도 아무 조치를 안 하니까 가해 학생들은 배포만 더 커져버리고…. 그러니까 중학교 때 한번 따돌림을 당해버리고 나서 고등학교 졸업할 때까지 6년간 아무 대책 없이 계속 그렇게 당한 겁니다.

이혜훈 낙인을 찍고 그렇게 되풀이되는 경우가 많다고 파악하고 있습니다.

A 씨 어떻게 해도 그 환경을 벗어날 수가 없는 거예요. 그리고 중간에서 단절시킬 수 있는 매개체 역할을 할 수 있는 사람이나 시스템이 하나도 없어요. 선생님들이라도 중간에서 어떤 식으로든 제지

를 한다든가 해야 되는데 현실적으로는 아무도 도와주지 못해요.

이혜훈 선생님들은 일선에서 아이들을 지켜보고 관리하는 분들인데 도움이 되지 못한다니 왜 그럴까요? 단순히 업무에 바쁘셔서 그러는 것만은 아닐 거고요.

A 씨 제가 보기에 요즘 아이들이 너무 거칠어서 선생님들, 특히 여자 선생님들이 아이들의 폭력에 정면 대응하지 못하는 경우가 많은 것 같습니다. 저희 애 문제를 조사하러 다니면서 학생들의 진술을 들어보면 저희 애가 폭행을 당하는데도 여자 선생님들은 적극적으로 제지를 못 했다는 거예요. 아무래도 힘이 부치고 체력이 부족하잖아요. 가해 학생들은 전부 덩치가 있는 애들이었거든요.

이혜훈 더구나 요즘 아이들은 발육 상태가 좋아서 체력이 선생님보다도 더 좋은 아이들이 많을 겁니다.

A 씨 여자 선생님들이 처음에 발령을 받아 오시면 가해 학생들이 먼저 선생님 군기를 잡았다는 이야기를 들었습니다. 예를 들어 선생님이 복도 저쪽에서 이쪽으로 오잖아요. 그러면 학생들 몇 명이 선생님에게 욕설을 한대요. 그러면 선생님 입장에서는 옆에서 듣고 있는 학생들 보기 창피하니까 그런 학생들을 혼내주기보다는

오히려 피해 다닌다는 겁니다. 학생부장 선생님하고 체육 선생님 같은 몇 분 안 되는 남자 선생님들이 험악한 아이들을 다 상대 못 하죠. 설령 남자 선생님이라고 하더라도 체벌을 할 수도 없어 달리 방법이 없어요.

저희 애 친구들에게 너희들도 많이 당했다면서 선생님한테 왜 얘기를 안 했느냐고 물어봤어요. 그랬더니 몇 명은 얘기를 했는데 선생님한테 말씀 드리면 선생님이 그 가해 학생을 교무실로 불러 가지고 겨우 훈계 한 번 하고 그냥 보내버렸대요. 그러니까 가해 학생들 배포만 더 키워준 거예요.

이혜훈 아이들이 선생님에게 말씀 드려봐야 소용없다고 생각했겠군요. 학교폭력피해자가족협의회에 따르면 상당수 아이들이 주변에 얘길 해도 소용이 없고 오히려 더 큰 보복만 당할 것 같다는 생각에 아무 말 없이 극단적인 선택을 한다고 합니다.

학교폭력 사건에서 가장 큰 문제는
경찰의 수사에 학교가 최대한 협조해야 하는데
혹시나 피해가 올까봐 관련자들이
쉬쉬하면서 덮는 경우라고 들었습니다.

A 씨 선생님들이 처음부터 제지를 못 하는 거예요. 그래 놓고 저희 애 같은 사건이 일어나니까 선생님들이 피해요. 왜 그런 일이 일어났는지 모르겠다고만 하고. 우리 아이가 중학교 때하고 고등학교 때 학교에서 폭행을 당했다는 증거가 확실하게 있습니다. 또 중학교, 고등학교 때 상담한 내용이 3건이나 밝혀져 있는데도 선생님들은 그런 상담한 일 없다, 나는 모르는 일이다 하고 전부 다 부인하는 거예요.

그 전에 다른 학교로 전근 간 어떤 선생님은 "그 가해 학생들은 학교에서 더 이상 통제가 안 되는 애들이었는데, 그 학교에 근무할 때 그 애들 때문에 진짜 힘들었다" 그렇게 저한테 증언을 해주셨습니다.

이혜훈 학교폭력 사건에서 가장 큰 문제는 경찰의 수사에 학교가 최대한 협조해야 하는데 혹시나 피해가 올까봐 관련자들이 쉬쉬하면서 덮는 경우라고 들었습니다.

A 씨 저도 똑같은 일을 당했습니다. 학교에 정보공개 신청을 했어요. 그랬더니 학교에서 자기네들끼리 정보공개심의위원회 회의를 해서는 "학부모가 정보공개 신청을 하면, 나중에 증거로 사용할 수 있으니 절대 서면으로 답변을 해주지 마라. 그리고 전화가 와서 질문을 할 때도 녹취가 되어 나중에 증거로 사용할 수 있으니까 절대 대답해 주지 마라. 정보공개법에 의해 어쩔 수 없이 공개를 해야 되는 상황이 생기면 직접 와서 열람만 하도록 허용하라" 그랬대요.

이혜훈 당시 어떤 내용의 정보를 공개 신청했습니까?

A 씨 학교에서 도교육청에 사건을 보고하는 팩스가 있거든요. 그걸 보려고 했죠. 직접 가서 열람해 보니까 "등록금을 낼 수 없는 자신의 처지를 비관하여 자살함"이라고 기록되어 있었어요. 그게 말이 안 되잖아요. 요즘 은행 대출도 얼마나 잘 나옵니까? 또 제가 애 대학 보낼 돈이 없었던 것도 아니고요.

하도 어이가 없어서 제가 담임선생님한테 가서 왜 그렇게 썼느냐고 물었어요. 그랬더니 자기가 다른 학생들한테 물어보니까 우리 아이가 장학금을 타야 되는데 장학금은 못 받을 것 같고 집안 걱정을 많이 했다고 그랬다는 거예요. 그래서 자기가 그렇게 썼다고 그럽니다.

이혜훈 부모한테 물어보지도 않고 일방적으로 결론을 내고 끝내버렸다는 거군요.

A 씨 저의 애가 12월 11일 날 자살을 했거든요. 그래서 12월 11일자 은행 잔고하고 증권 계좌하고 통장을 보여주면서 대학 등록금이 500만 원도 안 되는데 그때 현금이 3800만 원이 들어 있었다, 그런데 무슨 등록금을 못 내느냐, 이게 무슨 말이 되느냐고 따졌어요. 그러자 선생님이 "그러면 이 사건을 언제까지 끌고 갈 겁니까" 그러시더라고요. 저는 "진실이 밝혀질 때까지 끝까지 갑니다. 인터넷에 글도 올리고 아이가 왜 죽었는지 진실을 밝히기 위해서 저는 끝까지 갈 겁니다" 그랬습니다.

학교에서 그렇게 별것 아닌 일로 교육청에 보고하고 덮어버리니까 경찰도 초동수사를 소홀히 했습니다. 제가 여기저기 탄원도 하고 문제를 삼으니까 이제야 겨우 재수사를 하게 됐어요. 그래서 의성지청의 담당 검사님께 제가 파악하고 있는 내용들을 전부 말씀 드리니까 그분도 경찰 수사에서 초기에 수사가 잘 안 된 부분이 있는 것 같다고 말씀하시더라고요. 처음에 제가 고발장에 가해 학생이 7명이라고 언급했는데 경찰서에서는 2명만 조사하고 끝내버렸거든요. 검사님이 이 나머지 5명에 대한 참고인 조사를 추가로 하고 또 고등학교 2학년 때 외모에 대해서 집단적으로 놀렸던 학생들에 대해서 한 번 더 조사를 해주시겠다고 하시더라고요. 그러

면서 지금 문제의 그 학생들이 고등학교를 다 졸업했는데 이제 와서 검찰이 불러서 조사를 한다고 사실대로 말해주겠느냐, 그러니까 너무 큰 기대는 하지 말라고 그러시더라고요. 사건 조사가 안 된 부분에 대해서만 몇 명 따로 불러 재조사를 해보시겠다는 것인데 그래 가지고는 아무 의미가 없는 것 아닙니까? 형식적으로 구색을 맞추겠다는 것으로밖에는 안 들렸어요.

법률구조공단에 가서 검사님께서 이렇게 말씀하셨다고 상담하니까 상담해 주시는 분이 검사님 입장에서는 그럴 수밖에 없을지도 모른다, 경찰 수사 단계에서 처음부터 별것 아닌 일로 지나갔기 때문에 검사님이 도와주려고 그래도 더 이상 손 쓸 수 없는 면이 있을 것이다, 혹은 나쁘게 생각하면 검사님이 부실한 수사 내용에 대해서 다 알면서도 형식적으로라도 구색을 맞추기 위해 하는 행동일 수도 있다, 그렇게 조언해 주시더라고요.

권구익 피해 학부형들의 입장을 보면 가장 공통되는 간절한 소망

피해 학부형들의 입장을 보면
가장 공통되는 간절한 소망이
가해 학생들을 찾아서
진실을 밝혀내는 것입니다.

이 가해 학생들을 찾아서 진실을 밝혀내는 것입니다. 어떻게 일이 시작되고 벌어지고 전개되었는지 진실을 알아내는 게 이분들께는 절실한 일이거든요. 그러기 위해서는 학교와 담임선생님, 주변의 교사 분들이 객관적 입장에서 실체적 진실을 찾아내도록 협조해 주셔야 해요. 그런데 이분의 경우 공립이라 그런지 2013년에 관련된 분들이 전부 다 다른 곳으로 전근을 가버렸습니다.

이혜훈 자연히 그렇게 된 건가요? 아니면 의도가 있었다고 보시는 건가요?

권구익 그건 저희들이 모르죠. 하지만 제 입장에서 봤을 때는, 일정 부분 의도적인 요소가 있지 않았나 싶어요. 담임선생님, 학생부장 등 증언을 해주실 수 있는 핵심 관련자들이 다 다른 학교로 흩어지셨거든요. 공립학교 같은 경우는 전근을 오래 계셨던 순서대로 보내는 것이 원칙입니다. 가령 교사 10명이 해당되면 우선 3명이 가고 3명이 오고 이런 식으로 진행되어야 하는데, 이 학교의 경우 규모가 작은데도 공교롭게 조사 담당 선생님 보내버리고 학생부장 보내비리고 교무부장도 다른 데로 가셨죠?

A 씨 네, 그리고 나중에는 담임선생님과 교장 선생님도 가셨어요.

권구익 저는 사립학교에 근무했기 때문에 전근의 내막을 자세히 알지는 못하지만 하도 답답하니까 혹시 그 사건과 관련된 사람들을 다 흩어지게 한 것이 아닌가 하는 생각까지 들더라고요. 학교 관계자 분들이 귀찮고 힘들더라도 진실을 좀 밝혀주셔야 합니다. 그래야 죽은 아이의 한을 풀 수 있고 비슷한 사건이 재발되지 않지요.

이혜훈 한 가지 확실한 것은 문제가 생겼을 때 책임을 회피하기 위해서 다 덮어버리면 학교폭력이 절대로 사라지지 않고 갈수록 커지게 된다는 것입니다. 피해를 당한 아이는 얼마나 큰 고통 속에서 긴 세월을 살았겠습니까? 아이가 혼자서 얼마나 힘들면 스스로 목숨을 끊었겠습니까? 그 억울한 내용을 규명해 주는 것은 학교의 중요한 책무입니다. 그 과정에서 학교나 교사가 비난을 받거나 책임을 지는 부분이 있다고 하더라도 그걸 회피해서는 안 됩니다.

학교나 교사가 쉬쉬하면서 덮어버리는 이유는 직접 책임을 져야 하기 때문이기도 하고 학교평가 때문이기도 하다고 생각합니다. 가령 2013년 8월에 발표한 시도 교육청 학교폭력 부문 평가에서 가장 우수하다는 평가를 받은 어떤 지역 교육청이 2012년도 학교폭력 심의 건수나 가해 · 피해 학생은 가장 많았던 것으로 확인됐거든요. 학교폭력 실태와 평가결과가 사실상 뒤바뀐 셈이죠. 책임을 회피하거나 학교가 나쁜 평가를 받는 것을 두려워해서 피해 학생의 괴로움, 부모의 한을 외면하지 않도록 제도를 바꾸는 데 지혜를 모으겠습니다.

A 씨 우리 아이 사건을 조사하면서 알게 된 일이 있습니다. 우리 딸이 자기 친구한테 대학교를 졸업하고 취직해서 만약 3억 원을 모으면 제일 먼저 전신성형을 하겠다고 얘기했다는 거예요.

이혜훈 전신성형요? 왜요?

A 씨 예쁜 얼굴인데 왜 전신성형까지 한다고 그랬나 싶어서 알아보니까 중학교 2학년 때부터 고등학교 2학년 때까지 계속 외모에 대해서 집단 모욕을 당한 거예요. 고등학교 2학년 때 가장 심했대요. 그때는 선생님하고 상담도 했었나봐요. 그런데 해결이 안 되니까 혼자 과학실에 가서 울었대요. 그때 청산가리라도 발견했으면 자살했을 거라고 유서에 썼더라고요. 그게 저는 너무 안타까웠습니다. 학교 자체 조사 결과를 보면 언어적 폭력이나 장난의 방식으

아이가 혼자서 얼마나 힘들면
스스로 목숨을 끊었겠습니까?
그 억울한 내용을 규명해 주는 것은
학교의 중요한 책무입니다.

로 이루어진 면이 있었을 것으로 짐작된다고 기록되어 있습니다. 애가 그 지경까지 갔는데도 선생님들은 그냥 장난으로 받아들였다는 거예요.

권구익 요즘 가해 학생들이 가장 많이 쓰는 말이 "장난이었어요"입니다. 폭력을 휘두르다가 들켜도 "그거 그냥 장난이었는데요" 그래요. 그런데 교사들까지 그러면 곤란하지요.

이혜훈 남을 죽음으로 몰아넣고도 장난이었다고 넘어가면 피해 학생을 두 번 죽이는 거죠.

A 씨 제가 살아 있는 동안은 반드시 진실을 밝히기 위해 뛰어다니겠지만, 학교폭력 문제가 일어나면 특히 지방의 경우 그 지역 교육청이나 고위직에 계시는 분들이 언론에 노출 안 되고 끝나기를 바라는 점이 굉장히 크게 작용해요. 그러니까 진실을 밝히는 게 이미

그 단계부터 막혀버리는 거예요.

이혜훈 자살을 한 학생에 대해 학교의 자체 조사로 종결해 버리니까 그런 문제가 생깁니다. 학교 평판이 나빠지고, 잘못하면 학교와 교장, 교사 등이 책임을 져야 하는데 누가 학교폭력이라고 나서겠습니까? 구조적, 시스템적 문제입니다. 학교폭력 사건이 발생하면 학교가 아닌 외부에서 전문가들로 이루어진 진상규명위원회가 만들어져서 진실을 객관적이고 철저하게 규명할 필요가 있다고 생각합니다.

A 씨 그리고 사건이 발생하면 학교가 관련 정보를 공개하도록 의무화하는 장치가 만들어져야 합니다.

이혜훈 저희가 최근에 새누리당에서 '가족행복특위'를 만들었습니다. 반 년 가까이 고생을 해서 보고서를 만들었는데요, 가족행복

가운데 학교폭력 방지를 위한 효과적인 제도가 무엇인가 하는 부분에서 고민을 많이 했습니다. 선생님들한테 학교폭력에 대해서 너무 많은 책임을 부과하다 보니까 선생님들이 이걸 자꾸 숨기려는 쪽으로 부정적 인센티브가 작용하는 거예요. 이 부담을 조금 줄여주고 대신 사실을 은폐했을 때 훨씬 더 큰 책임을 지게 하는 방향으로 개선의 초점을 맞추고 있습니다.

권구익 그렇죠, 그게 중요해요.

이혜훈 저도 아이를 키우고 있습니다만 조그만 일이라도 생기면 선생님들한테 보고하게 하고 보고 실적을 확인하니까 아이들끼리 별것도 아닌 사소한 싸움도 보고서를 쓰면서 일을 자꾸 키우는 거예요. 어떤 아이가 떡볶이를 먹으러 가자고 했는데 그중 한 아이가 "나는 안 갈래" 그럽니다. 별것 아닌 일이잖아요. 그것 때문에 서운했던 어떤 아이가 집에 가서 엄마한테 얘기를 한 거예요. "누가 내가 떡볶이 먹으러 가자고 그랬는데 안 간다고 그랬어." 그런데 그 엄마가 학교 선생님한테 전화해서 누가 우리 아이를 왕따를 시켰다고 얘기한 거예요. 옛날 선생님들 같으면 그냥 그런가보다 하고 넘어갈 일인데 이걸 실적으로 만들어 보고해야 하니까 선생님이 이 건을 왕따 사건으로 만들어버리는 거예요. 애들을 불러서 "너는 왜 쟤가 떡볶이 먹으러 가자고 그랬는데 안 갔니" 하면서 사과문도 받고요. 그러다보니까 얘가 왕따를 시킨 애로 기록에 남아가지고 대학 가는 데 문제가 되는 거예요. 그래서 교사들에게 형식적인 부담을 주지 말고 실질적으로 학교폭력을 예방하는 데 시간과 노력을 할애하도록 시스템을 만들어야겠다는 논의를 하고 있습니다.

A 씨 저는 교육부에 대해서 꼭 한마디 드리고 싶습니다. 교육부 조사관님들은 현장에 한 번도 안 나와보시는 것 같아요. 설령 현장에 나오더라도 형식적이어서 피해자의 억울함에 대해 구체적으로 알라보려는 노력은 안 하시는 것 같아요.

제가 교육부의 한 조사관님하고 통화한 일이 있었어요. 그분 말씀이 내용을 읽어보니까 저희 애가 학교폭력 때문에 자살할 이유가 없었다고 그러시더라고요. 중학교 때부터 고등학교 2학년 때까지 폭행이 계속 있었고 외모에 대한 괴롭힘이 있었다는 등의 사실은 다 인정하지만 고3 때는 증거가 없는데 고3 때 자살했기 때문에 이 사건은 학교폭력으로 인정이 안 된다고 하시더라고요.

더 황당한 게 뭐냐 하면 만약 학교폭력으로 아이가 자살할 것 같았으면 학교에서 자살을 했어야지 왜 집에 돌아와서 자살했느냐는 거예요.

권구익 학교에서 자살하지 집에서 왜 죽었느냐? 집에서 죽었으니

학교폭력이 아니라는 겁니까?

이혜훈 논리가 정말 황당하네요. 가해 학생들이 중학교 때부터 고등학교까지 쭉 같이 다녔고 고등학교 2학년까지도 폭력이 있었다면 고3이 되었다고 해서 폭력이 갑자기 사라지지는 않았겠지요. 설령 폭력이 줄었다고 하더라도 오랜 스트레스가 돌이킬 수 없는 감정적 상처로 남았을 것이고요. 더더구나 학교가 아니라 집에서 자살했으니 학교폭력이 아니라는 논리는 말이 되지 않습니다. 학교폭력이면 꼭 학교에서 자살해야 되나요?

A 씨 제가 하도 기가 막혀서 부서에 몇 분이 근무하느냐고 물어봤어요. 15명이 근무하신대요. 그러면 그 15명 가운데 한 사람이라도 현장조사 한 번 나와봤느냐고 물었더니 자기네들은 현장조사를 나갈 시간이 없대요. 학생 자살 사건뿐만 아니라 학교가 잘 운영되는지 전반적인 일을 다 조사해야 하는데, 전국 중고등학교와 대학교의 일을 전부 맡고 있어서 개별 사건 현장조사를 할 수 없답니다.

이혜훈 결국 학교폭력이 발생하는 최전선에 있는 교사가 학교폭력에 대한 감수성을 높여야 해요. 관심을 갖고 관찰해서 문제가 있다 싶으면 부모님과도 상담하고 그래야 합니다.

저희 아이가 몽유 증세를 보인 일이 있었어요. 밤에 일어나 잠이 든 상태로 자꾸 대문을 열고 밖으로 뛰쳐나가는 거예요. 그러다 교통사고가 날 수도 있고 굉장히 위험하잖아요. 너무 불안해서 병원에 가봤더니 의사 선생님이 학교에서 아이에게 무슨 일이 있는지 알아보라고 그래요.

나중에 애를 붙잡고 계속 얘기를 시켜보니까 '빵셔틀' 때문인 거예요. 가해한 아이 이름도 알아내고 언제 당하는지도 알아내고 얘기를 다 들은 다음 선생님한테 상의하러 갔습니다. 학교가 제 지역구 관내였기 때문에 굉장히 조심스러웠어요. 그 아이 부모님도 저희 지역구민이시고 해서 제가 얼마나 망설였겠습니까? 그래도 아이 일이고 몽유병 증세를 보일 만큼 스트레스를 느끼고 있으니 부모로서 가만히 있을 수는 없었어요. 몇 번을 망설이다가 정말 조심스럽게 얘기를 꺼냈는데 선생님은 단번에 "어머니, 무슨 그런 말씀을 그렇게 하세요? 걔(가해한 아이)가 얼마나 착한 앤데요. 함부로 얘기하지 마세요" 이러시는 거예요.

권구익 그래서 어떻게 하셨습니까?

이혜훈 저희 아이가 스트레스로 몽유 증세까지 보인다고 말씀드려도 소용이 없었어요. 가해 학생들이 선생님 앞에서는 의도적으로 착하게 행동을 하니까 정말 모르고 그러셨을 것이라고 믿고 싶지만, 그래도 아이가 병까지 걸려 치료를 받고 있다는데 그런 식으로

교사들에게 형식적인 부담을
주지 말고 실질적으로 학교폭력을
예방하는 데 시간과 노력을
할애하도록 시스템을 만들어야겠다는
논의를 하고 있습니다.

답변을 하면 부모 마음이 어떻겠습니까? 제가 정치인이라 권력을 사적으로 이용해서 엉뚱하게 남의 아이나 잡는 이상한 사람 취급을 하는데 더 무슨 말씀을 드리겠어요? 할 수 없이 그냥 돌아왔습니다.

집에 돌아와서 곰곰이 생각을 했습니다. 혹시 우리 애가 나한테 거짓말을 한 건가 싶어서 아이 소지품을 몰래 계속 검사해 봤죠. 예를 들면 용돈을 일부러 좀 많이 줘서 보내보죠. 그런데 그날로 없어져요. 지갑에 돈을 넣어주면 그 큰돈이 학교 갔다 오면 하루만에 깡그리 사라지는 거예요. 저는 아들이 셋입니다. 고등학생인 두 형들을 학교에 몰래 보냈어요. 그런데 형들이 가서 보니까 저희 애가 맞고 지갑 털리고 보통 일이 아닌 거예요. 학교 밖에 나와서 문방구 옆 이런 데서 그러더래요. 그러니까 선생님들은 모를 수도 있지요. 형 둘이 그걸 지켜보다가 기가 막혀서 가해 학생들한테 가서 "우리 동생 다음에 또 건드리고 돈 뺏으면 혼난다" 하고 겁을 줬대요. 덩치 큰 형들이 그러니까 그 아이들이 그 이후로는 '빵셔

틀'을 중지했답니다.

이런 경우는 물론 예외적인 사례에 불과하다고 믿고 있습니다. 수많은 선생님들이 아이들을 돌보느라 얼마나 고생하시는지도 잘 알고 있고요. 다만 제가 드리고 싶은 말은 선생님들이 부모들로부터 아이에게 무슨 일이 있다는 말을 들으면 좀더 관심을 갖고 관찰해 주시면 좋겠다는 겁니다. 괜한 걱정이었다면 다행이지만 나중에 땅을 치고 후회할 일을 만들면 절대로 안 되잖아요.

A 씨 제가 우리 애 문제를 조사하면서 느낀 점도 학교폭력 문제는 선생님들의 인식만 바뀌어도 상당히 줄어들 수 있다는 것입니다.

이혜훈 많은 경우 학교에서 학교폭력이 발생했다는 사실 자체를 꺼리는 경향이 있다고 합니다. 시끄러운 문제가 일어나서 이야기되는 것 자체가 싫고 귀찮다는 태도를 보이는 선생님들을 만나고 온 학부모들은 대부분 스스로 해결하는 방법을 택하게 됩니다. 전학을 포함해서. 그런데 아이를 다른 학교로 전학시킬 생각은 안 해보셨나요? 전학 보내봐야 오히려 '딱지' 붙어가지고 더 왕따 된다는 것을 들어서 알고는 있습니다만….

A 씨 제 딸의 경우도 제가 도시에서 계속 살았으면 피해를 안 당했을 수도 있었겠죠. 가해 학생들을 전학을 못 시키면 저라도 보따리 싸가지고 애와 함께 멀리 가버리면 되는데 제 경우는 이사 갈 방법이 없어요. 시골 집이 도시처럼 빨리 팔리는 것도 아니고요. 도시처럼 주거지를 금방 옮길 수 있는 그런 여건도 못 됩니다. 그러니까 농촌 지역 같은 경우에는 왕따나 학교폭력 피해가 특히 더 심해지는 것 같아요. 그 피해가 도시보다 더 확산되는 것 같고요.

이혜훈 지역에 기반을 두고 살다보면 학교 선택의 여지가 별로 없겠군요.

A 씨 생계를 포기하지 않는 한 아이를 데리고 어디로 갈 수가 없어요. 가해 학생들이 적발되었다고 하더라도 다 어디로 보낼 수 있는 것도 아니고. 가해 학생들은 집단적으로 움직이잖아요. 그 애들을 동시에 다 전학 보낼 수는 없거든요. 그러니까 우리 애 경우에 가해 학생이 7명인데 그중 한두 명 전학 보낸다고 해도 나머지 애들이 오히려 더 큰 보복을 할 것 아닙니까? 학교에서 어떻게 조치를

안 해주면 부모로서 할 수 있는 일은 굉장히 제한적입니다.

이혜훈 학교폭력 관련해서는 물론 애들이 그런 폭력문화를 만들지 않는 환경을 만드는 게 제일 중요한데 당장 급한 것은 일단 발생을 했을 때의 사후 처리입니다. 애들이 폭력을 당하면서도 보복당할까 봐 엄마 아빠한테도, 선생님한테도 말 못 하잖아요. 애들이 자기가 폭력을 당하고 있다는 걸 누군가에게 알릴 수 있게 하는 좋은 방법이 뭘지 많이 고민합니다. 애들은 차라리 자기 신원을 잘 모르는 사람한테는 말하는 걸 편하게 느끼는 것 같아요. 익명성이 보장되는 학교폭력 신고전화 같은 경로를 통해서 신고를 받거나 상담해 주는 것이 좋을 것 같다는 생각을 합니다.

권구익 분명히 그런 측면이 있죠. 아이들은 상담을 했다가 알려져서 추가 보복을 당하는 것을 겁내니까.

이혜훈 그다음에 이 가해자 애들을 어떻게 다룰 것인가 하는 문제인데 남자아이들은 선생님들을 겁 안 내요. 체벌을 못 하니까. 차라리 경찰관이 경찰서 와서 조사받으라고 불러대면 좀 겁을 낸다고 합니다.

A 씨 그러니까 학교폭력이 발생하면 경찰이 즉시 움직일 수 있도

록 시스템을 마련해 달라는 겁니다. 지금은 학교폭력에 대해서는 경찰이 안 움직입니다.

이혜훈 워낙 강력 사건도 많고 학교폭력은 아직 애들끼리의 문제라는 인식이 있으니까요.

A 씨 학교폭력 문제는 해결에 시간이 엄청 걸리고 조사 과정에서 잘못하면 부모들한테서 항의만 무지 들어오니까요. 저도 그렇고 다른 피해 학부모님들도 만나서 얘기해 보면 신고를 하거나 고발을 해도 경찰이 잘 움직이지 않는다고 합니다. 저희 애 경우에도 여러 가지 증거를 제시했는데도 그 부분에 대해 참고인 조사도 한 번도 안 해준 거예요. 아예 조사 자체를 하지 않았어요. 경찰은 학교폭력이 일어나면 폭행 그 자체만 조사를 해요. 그건 증거를 쉽게 잡을 수 있으니까. 실제로 애가 자살하기까지 가게 된 오랜 따돌림이나 집단 괴롭힘, 모욕 이런 심리적 문제는 조사할 생각도 하지 않습니다. 다른 애들은 다 친구가 있는데 자기 혼자 외톨이로 몇 년 동안 생활해 보세요. 보통 사람들도 미쳐버려요. 저한테 증언해 준 다른 친구들도 본인들이 그런 일 당했으면 미쳐버렸을 거라고 그럽니다.

이혜훈 경찰 입장에서는 아무래도 심리적인 문제는 증거를 잡기가 어렵겠죠. 곧바로 증거를 잡을 수 있는 폭력 사건은 상대적으로 수사가 쉽고요.

A 씨 그러니까 좀더 은밀하게 자행되는 학교폭력 문제는 경찰 수사로 해결이 안 됩니다.

이혜훈 특히 여학생들의 경우는 노골적인 폭력이나 강력범하고는 좀 다른 형태의 심리적 폭력이 많으니 여학생들에 대한 학교폭력을 전담하는 여경들을 많이 뽑는 문제도 검토해 볼 필요가 있겠습니다.

A 씨 경찰에 '학교 담당 경찰관제'라는 게 있더라고요. 사건 나고 난 뒤에 인터넷 검색으로 알게 되어 경찰서에 가서 이 학교는 농촌 학교라서 이 아이들은 일진으로 계속 진학해 온 애들인데 얘들이 누구인지 정도는 담당 경찰이 파악하고 있었어야 되는 거 아니냐고 물었어요. 그랬더니 그 경찰관이 하는 말이 혼자서 그 관할의 7개 학교를 다 맡고 있대요. 그런데 전담도 아니고 다른 일 다 하면서 추가로 7개 학교를 맡아야 하니까 자세하게 파악하는 것은 불가능하다는 거예요. 솔직히 형식적으로만 맡고 있는 건데 이 학교에서 사고 치는 애들이 누구인지 어떻게 알 수 있겠냐고 그래요.

권구익 그게 '스쿨 폴리스(School Police)'라는 제도인데, 농촌에서는 경찰 한 사람이 10개 이상의 학교를 관리하면서 자기 업무는 업무대로 해야 하니까 실효가 없어요.

이혜훈 적어도 한 지역에 한두 사람 정도는 전담이 있어야 하지 않을까 싶습니다. 대통령께서 학교폭력, 가정폭력, 아동폭력, 성폭력을 4대악으로 규정하고 적어도 이것들은 뿌리 뽑겠다고 하셨으니까 저희가 계속 그런 현실적인 점들을 조사하고 보완책을 마련해서 건의해 보겠습니다. 또 한 가지 해법이 은퇴한 경찰 두세 분을 학교에서 고용하는 것입니다. 물론 학교 재정 형편상 많은 임금을 드릴 수는 없겠지만, 대신 이분들도 학생들 교육을 바로잡고 사회에 큰 봉사를 하신다고 생각하면 학교와 은퇴 경찰 분들 모두에게 윈윈(win-win)이 되는 해법 중 하나로 생각해 볼 수 있겠습니다.

A 씨 아무리 청소년이라도 상대방을 죽음에까지 이르게 한 미성년

부모가 어느 정도 자녀에 대한
관리 책임을 져야 한다는 경각심을 가지도록
교육받아야 한다고 생각합니다.

가해자에 대한 처벌은 강화해야 된다고 봅니다. 큰 범죄를 저지른 학생들은 형무소까지는 아니더라도 상당한 처벌과 격리를 해야 한다고 생각합니다. 미성년이라고 너무 방치하는 것 아닌가요?

이혜훈 소년이라고 분류돼 형사처벌을 안 받는 연령이 14세인데, 이걸 좀 낮추는 법률 개정을 저희가 추진하고 있습니다. 예전에는 14세 되기 전 아이들이 그래도 어리숙하고 순진하고 그랬지만 요새는 육체적으로나 정신적으로 어른만큼이나 범죄지능이 발달한 애들이 많습니다. 이 아이들이 자기는 무슨 짓을 저질러도 나이 때문에 처벌 안 받는다는 걸 알고 이 나이 때 더 흉포한 폭력을 행사한다는 현장의 증언들을 많이 들었습니다. 오히려 14세가 넘으면 처벌받을 수 있고 감옥에 갈 수도 있다는 것을 알기 때문에 더 조심한대요. 애들이라도 중죄를 지으면 처벌을 강하게 하고 그 대신 정말로 아직 뭘 몰라서 저지른 범죄에 대해서는 나중에 개전의 정을 보이면 기록을 삭제해 주어 갱생의 길은 열어주는 것이죠.

A 씨 학교에서 처벌이라고 교내봉사 5일, 10일 이런 식으로 하는 것은 가해자 애들한테는 더 좋은 일이거든요. 수업 안 들어가고 그냥 시간 때울 수 있으니까. 피해자를 자살에까지 이르게 한 중대 가해 학생에 대해서는 그 부모까지 몇 시간 이상 의무 교육을 받게 한다든가 그런 조치를 병행해야 한다고 생각합니다.

이혜훈 저도 부모가 어느 정도 자녀에 대한 관리 책임을 져야 한다는 경각심을 가지도록 교육받아야 한다고 생각합니다. 부모가 먼저 바뀌지 않으면 애들이 바뀌지 않아요.

학교폭력에 대한 대안으로 교육부가 각 학교별로 체계적인 상담 프로그램을 운영하는 '위클래스(Wee Class)'를 추진해 왔죠. 교육부는 이 제도를 대폭 확대한다고 합니다. 2013년 안에 전국 모든 중학교에 위클래스를 설치하고 2014년에는 모든 지역 교육청에 위센터를 설립하며 2015년까지는 전국 17개 시도 교육청에 장기위탁교육이 가능한 위센터를 설립하겠다고 밝히고 있습니다. 그런데 저는 개인적으로 이 제도가 예산 대비 어느 정도 효과를 내고 있는지 좀 의문을 가지고 있습니다.

아까 말씀 들어보면 가해 학생들은 선생님이 처음 전근 오면 군기를 잡거나 길들이기를 하는 애들인데 상담만으로 해결될지 의문입니다. 위센터 근무하시는 분들이 나름대로 애를 쓰고 계시지만 업무가 너무 과중하다 보니 아무래도 철저한 관리가 어렵고요. 일부에서는 위센터 같은 곳이 오히려 문제 학생들에게 해방구를 만들어주는 것 아닌가 하는 우려가 나오고 있습니다. 말씀하신 것처럼 가뜩이나 학교 가기 싫고 놀고 싶은데 수업 빠져서 좋다는 애들도 있다고 하고, 가해자들도 피해자니까 양쪽을 모두 치유한다고 해서 가해자랑 피해자랑 같은 센터에다 모아놓고 해결하려다가 오히려 2차 피해를 당하게 하는 일도 있는데, 현행과 같은 제도는 크게 개선되어야 한다고 생각됩니다.

권구익 가장 중요한 원인은 가정교육의 부재입니다. 사회에 많은 제도도 있고 법도 있지만 그런 데 문제가 있어서 이런 학교폭력이 일어나는 게 아니라 가정교육이 가장 큰 문제예요. 내가 아이를 어떤 사람으로 키울 것이냐 하는 것을 부모가 고민하는 것, 그것이 해결의 첫 번째 과제입니다.

그다음이 학교 안에서 교사의 역할입니다. 학교 안에서 가장 절대적인 영향력을 행사하는 것은 교사니까요.

그다음 정부 정책이 문제입니다. 작년에 교육부가 전체 학교폭력 발생 건수를 데이터로 죽 내서 처음의 발표에서 몇 % 줄었다는 발표를 했어요. 그거 보고 어이가 없어서 웃었거든요. 학교폭력을 30% 줄였으니 성공했다고 자부하면 나머지 70%는 뭐냐는 거지요. 학교폭력이 통계적으로 좀 줄었다고 성공한 것처럼 이야기하는 위정자들이 참 답답합니다. 교통사고 30% 줄어든 거하고 학교

처벌 강화는 제가 보기엔 한계가 있어요.
처벌은 약하고 똑같거든요.
처음에는 좀 듣는 것 같은데
나중엔 내성을 키워요.

폭력 30% 줄어든 것은 의미가 다른 걸 제대로 알아야지요.

이혜훈 학교폭력이 좀더 은밀해져서 적발이 안 되니까 줄어드는 것처럼 보이는 통계적 착시 현상일 수도 있지요.

A 씨 짧게 보면 대표 사례를 적발하고 처벌을 강화해서 일벌백계를 하는 것도 필요하다고 생각합니다. 이런 내용을 뉴스에서 다루게 되면 가해 학생들이 적어도 단기적으로는 움츠러들 거 아닙니까?

권구익 지금 학교 분위기 자체가 성적과 관련된 수업만 너무 많고 실제로 더불어 살아가는 삶에 대한 교육이 거의 이루어지지 못한다는 것도 큰 문제예요.

이혜훈 더불어 살아가는 삶에 대한 교육이 근본적인 해결책이라는

데 동의합니다. 아이들을 왜 학교에 보내는가에 대해 사회 전체가 인식을 바꿔야 해요. 선량한 시민, 더불어 사는 법을 아는 어른으로 키우기 위해 애들을 학교에 보내는 것 아닙니까? 그런데 지금의 교육은 오로지 '대학 들어가기 위한 지식공장'으로 전락하고 있습니다. 성적 때문에 끊임없이 비교당하고 스트레스 받는 아이들이 언제 더불어 사는 삶에 대한 인성교육을 받을 수 있겠습니까? 자기가 스트레스 받으니까 자기보다 약한 애들을 괴롭히는 것으로 스트레스를 해소하는 아이들이 생겨나고요.

권구익 가정에서부터 인식이 달라져야 합니다. 저는 가해자들의 폭력의 80~90%는 부모의 책임이라고 보거든요.

이혜훈 또 많은 경우에 가정폭력이 학교폭력, 성폭력 등 사회폭력의 시발이 되기도 합니다. 가정에서 폭력을 보고 배우고 자라면 학교에서도 폭력을 행사하게 됩니다. 가정교육이 중요하다는 점에

100% 공감합니다.

권구익 처벌 강화는 제가 보기엔 한계가 있어요. 처벌은 약하고 똑같거든요. 처음에는 좀 듣는 것 같은데 나중엔 내성을 키워요. 감기약을 강한 걸 계속 쓴다고 해서 감기가 낫는 게 아니고 스스로 면역성을 키우는 게 더 나은 것처럼요.

이혜훈 우리 사회 전체가 교육 현장인 학교에 대해 애정과 관심을 가져야 합니다. 학교는 이 아이들이 자라나서 주인공이 되는 미래 사회의 축소판이기 때문입니다. 학부모와 학생과 교사와 학교당국이 가장 좋은 해법을 찾기 위해 머리를 맞대고 대화를 해야 합니다. 필요하다면 관련법을 제정해야 하고 보다 본질적으로는 교육의 근본 목적을 생각해야 합니다. "기본으로 돌아가라"는 말을 다시 음미해 볼 시점이 아닌가 합니다.

군위고등학교 피해 학생의 아버지 A 씨 중학교 때부터 학교폭력에 시달리다가 2012년 12월 대학에 합격한 후 자살한 군위고등학교 여고생의 아버지다. 자살 직전의 시기에는 문제 학생들로부터의 구체적인 폭력 정황이 드러나지 않아 경찰이 사건 조사를 종결했지만 딸의 죽음의 진실을 밝히기 위한 노력을 멈추지 않고 있다.

권구익 2011년 12월 대구에서 또래들에게 집단적으로 괴롭힘과 폭행을 당하는 학교폭력의 고통을 견디지 못해 살고 있던 아파트 베란다에서 뛰어내려 목숨을 끊은 권승민 군의 아버지다. 2012년 윤리 교사로 재직하던 고등학교를 그만두고 2013년 2월 25일부터 EBS 청소년 상담 프로그램 『경청』의 '권구익의 공감교실'이라는 코너에서 상담을 했으며 비슷한 처지의 학부모들을 돕고 있다.

2.
공정한
경제

"범죄행위로 얻은 부당이득을 반납하지 않고는 단 하루도 버티지 못하는 세상, 고액의 세금을 체납하고 호화 생활을 하는 사람들이 발 붙이지 못하는 세상, 그래서 성실히 세금 내는 사람들이 박탈감을 느끼지 않는 정의로운 그런 세상을 만드는 것, 바로 이것이 '이혜훈이 정치하는 이유'입니다."

탈세와의 전쟁

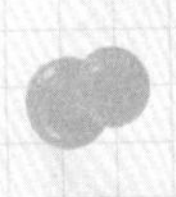

'이혜훈 법' 해외금융계좌신고제도

'경제를 죽이는 경제통' '국민을 불편하게 하는 악법을 만드는 국회의원'. 일명 '이혜훈 법'이라고 알려진 해외금융계좌신고제도를 도입한 '국제조세조정에 관한 법률 일부 개정 법률안'을 밀어붙이자 일부 언론들이 비난하면서 붙여준 별명들이다. 그들의 논리는 이랬다. 우선 기업의 비자금은 윤활유와 같은 것인데, 해외 비자금 줄을 말리는 '이혜훈 법'은 경제를 위축시키고 경제활성화에 찬물을 끼얹는다는 것이었다. 또한 해외에 개설한 금융계좌의 현금 잔고가 10억 원을 초과하는 계좌는 국세청에 신고해야 한다는 '이혜훈 법'은 수많은 외교관, 유학생, 상사 주재원과 같은 단기 체류자들에게 불편을 끼치기 때문에 국민을 불편하게 한다는 것이었다.

하지만 재벌 총수의 해외 비자금이든 그 무엇이든 간에 탈세를 용인할 수는 없지 않은가? 재벌 총수의 해외 비자금이 기업을 돌아가게 하는 순기능을 한다면 국세청도 눈감고 탈세를 묵인하라는 말인가? 또 현금 잔고가 10억이 넘는 외교관, 유학생, 상사 주재원, 단기 체류자가 과연 몇 명이나 되며, 인터넷 사이트에 회원을 등록하는 것처럼 불과 1~2분이면 처리되는 온라인 등록이 무슨 국민을 그다지도 불편하게 만든다는 것인가? 아무리 반박해도 일부 언론과 주무 부처, 힘 있는 국회의원들은 꼼짝도 하지 않았다.

국회의원이 되기 전부터 늘 궁금한 것이 있었다. '전직 대통령들이 해외 비밀은행에 엄청난 불법 자금을 숨기고 있다는 등의 괴담이 수십 년 동안 돌아다니는데도 왜 그 사실 여부를 밝히지 않을까' 하는 것이었다. 그래서 국회의원이 되고 제일 먼저 국세청에 알아본 사안이 그런 괴담의 사실 여부를 왜 규명하지 않느냐는 것이었다. 그런데 국세청의 설명은 우리나라와 조세협약이 체결된 나라라 하더라도 금융계좌의 내역이나 상세한 정보를 얻으려면 예금주의 이름, 주소, 계좌번호 등과 같은 구체적인 정보를 적시하여야 하는데 우리 과세당국은 그런 정보를 가지고 있지 않다는 것이었다. 미국의 과세당국은 하고 있는 일을 왜 우리 국세청은 하지 않느냐고 따졌더니 미국은 자국 국민이 해외에 개설하는 모든 금융계좌를 미국 국세청에 신고하도록 의무화했기 때문에 해외에 숨긴 자금을 추적하는 데 필요한 정보를 가지고 있다고 답했다. 결국 알게 된 사실은 전직 대통령이든 재벌 총수든 그 누구든 해외로 자금을 빼돌려서 숨기고 탈세할 경우 제대로 추적할 수 있으려면 대한민국 국민이면 누구나 해외에 금융계좌를 개설할 때 관련 정보를 우리 국세청에 신고하도록 의무화하는 것이 필수적이라는 것이었다.

그래서 전문가들의 협조를 받아 우리나라 국민들도 해외에 금융계좌를 개설하면 우리 과세당국인 국세청에 예금주의 이름, 계좌번호, 주소 등 관련 정보를 신고하도록 의무화하는 법률 개정안을 발의하였다. 그런데 이 법안은 발의 단계부터 많은 우여곡절을 겪었다. 법안이 발의되려면 최소한 국회의원 11명의 서명이 필요한데, 애초부터 서명을 꺼리는 사람, 엉겁결에 서명을 하고는 나중에 자기 이름을 빼달라는 사람, 그런 법안을 제출하면 우리 사회의 힘 있는 사람들에게 미움을 사기 때문에 정치 오래하려면 포기하라고 조언하는 사람 등 별별 사람이 다 있었다.

법안을 제출하고 나서도 시련은 끝나지 않았다. 일단 주무 부처가 공식적으로 반대했다. 이유는 앞서 이야기한 것처럼 경제활동을 위축시킨다는 것과 국민을 불편하게 만든다는 것이었다. 한동안은 각계의 방해와 압력으로 상정조차 되지 못했다. '안 되면 될 때까지' 한다는 좌우명대로 국회가 열릴 때마다 이 법안의 필요성을 역설했다.

그러던 중 하버드 대학의 마이클 샌델(Michael J. Sandel) 교수의 명저 『정의란 무엇인가』가 돌풍을 일으키며 정의와 공정에 대한 세간의 관심이 고조되었다. 그 열풍 덕분에 조세정의를 부르짖는 '이혜훈 법'이 몇몇 언론과 여론의 공감을 얻기 시작했고 국회에서 드디어 통과되었다. 그 법의 통과를 간절히 기다려온 국세청이 '이혜훈 법'을 활용하여 추징한 해외 탈세 규모가 불과 3개월 만에 4741억 원이나 되었다.

조세피난처의 유령회사들

해외 탈세 중 최근 가장 큰 화두로 떠오른 것이 조세피난처* 이다. 2013년 봄 탐사보도 전문 언론 뉴스타파의 노력으로 조세피난처에 유령회사를 세워 탈세한 의혹이 있는 수백 명의 명단이 발표되었다. 당시 보도에 따르면 국내 24개 재벌그룹이 조세피난처에 설립한 법인은 125개로 자산 총액이 약 6조 원에 달한다. 이 가운데 2012년 말 기준으로 매출 실적이 전혀 없는 등 이

* OECD에서는 2009년 4월 이후 '조세피난처'(tax haven) 대신 '저세율국'(low-tax jurisdiction)이라는 용어를 사용 중이며, 2010년 이후부터는 국내 세법에서도 조세피난처라는 용어는 사용하지 않는다. 그러나 이 책에서는 독자의 이해를 돕기 위해 널리 통용되는 용어 '조세피난처'를 사용하기로 한다.

름만 있고 활동은 없는 사실상의 '페이퍼 컴퍼니'로 추정되는 법인이 그중 57%에 달했다.

2012년 한 해 동안 전 세계 50개 정도에 달하는 조세피난처 중에 단 한 곳에 불과한 케이먼 군도로 우리 재벌기업들이 송금한 금액이 1조 3635억 원으로 발표된 점을 감안하면 거두지 못한 세금의 규모가 얼마나 될지 상상해 볼 수 있다. 조세피난처에 '페이퍼 컴퍼니'를 운영한 국내 재벌 4개사의 총수와 임직원 명단이 국제탐사보도언론인협회(ICIJ, International Consortium of Investigative Journalists) 등을 통해 흘러나오기도 했다. 그 명단에는 재벌 총수, 전직 대통령 들과 연결 가능성이 높은 인사들이 포함되어 있었고, 또 의심되는 범죄 가운데는 공소시효가 얼마 남지 않은 사례도 있었다.

조세피난처에 유령회사가 설립된 연도를 분석해 본 결과 2003년 신용카드 부실 사태, 2008년 미국발 금융위기 등에 집중되어 있는 것을 보면, 사회 · 경제적 위기 때 자산 도피용으로 유령회사를 설립했을 가능성이 농후하다. 물론 조세피난처를 이용했다는 사실만으로 탈세라고 단정 지을 수는 없다. 다만 조세피난처에 유령회사를 설립해 자금을 운용하는 경우 그 자금 자체가 불법 비자금이거나 자금의 조성 과정에서 횡령, 배임, 탈세, 분식회계 등 불법행위가 발생했을 가능성이 높기 때문에 철저히 추적하고 감시할 필요가 있다는 것이다.

탈세를 근절하는 일은 단순히 세수를 충당하기 위해 필요한 것이 아니다. 그것은 더 근본적으로 조세정의의 문제이다. 법 앞에 모든 사람이 평등한 것처럼 세금 앞에 모든 사람이 평등해야 한다. 누구는 성실히 세금 내는데, 누구는 힘 있고 '백' 있다고 인구수보다 유령회사 숫자가 더 많은 카리브 해 한가운데의 섬나라 조세피난처에 유령회사 차려서 불법으로 자금 빼돌리고 세금을 안 낸다면, 이것은 정의롭지 못하다.

세금은 공정해야 한다. 세금을 거둬들이는 세정도 모든 사람에게 똑같이 적용되고 공정해야 한다. 세금이 공정하다는 확신을 주지 못하면 조세저항이 일어나고, 조세저항이 납세거부로 이어지면 국가질서가 교란되고 국가 자체를 유지하기 어려운 상황이 올 수도 있다.

'이혜훈 법'은 해외 탈세를 근절하기 위한 필요조건일 뿐이지 결코 충분조건은 아니다. 해외 탈세 근절을 위해 보완되어야 할 대표적인 예가 탈세 조력자를 처벌하는 것이다. 금융정보분석원(Financial Intelligence Unit, FIU)이 수상한 해외 자금 거래를 추적하여 적발해 낸 C그룹 총수의 경우 해외 탈세 규모가 546억 원에 달한 것으로 보도되었다. 이 과정에서 적지 않은 탈세 조력자들이 드러났다.

조세피난처는 일반적으로 카리브 해나 말레이시아 등 멀리 떨어진 해외의 섬나라에 위치해 있기 때문에 유령회사 하나를 만드는 데 적지 않은 노력이 필요하다. 통상 언어도 다르고, 국경을 넘나들면서 돈을 세탁해야 하고, 복잡한 행정절차를 거쳐야 하며, 여러 개의 통장도 필요하다. 법률 전문가, 회계 전문가의 도움 없이는 도저히 할 수 없는 일이다.

또 조세피난처에 예치해 둔 돈을 움직여 여기저기서 자금을 굴리려면 고도의 금융기법과 법률지식까지 갖춘 조력자가 필요하다. 최근에는 탈세상품을 기획하고 개발해서 마케팅까지 하는 컨설턴트가 아예 전문 영역으로 자리 잡고 있는 실정이라고 한다. 이런 탈세 조력자들을 처벌하지 않고는 해외 탈세는 근절하기 어렵다.

뿐만 아니라 5년으로 되어 있는 해외 탈세에 대한 공소시효도 연장할 필요가 있다. 국내 탈세와 달리 사건 발생 현장이 외국이라 언어와 제도가 완전히 다르고, 인맥도 거의 없고, 압수수색이나 강제수사를 할 수 있는 권한도 제한되는 해외 탈세를 추적하는 일은 이렇게 짧은 공소시효로는 성과를 내기 어렵기 때문이다.

정부는 손쉽게 세수를 거둬들일 수 있는 유리지갑 월급 생활자들의 세 부담을 늘리기 전에 지하경제 양성화에 대한 강력한 의지, 고소득 탈세자들에 대한 강력한 추징 의지부터 보여주어야 한다. 또 이미 일어난 범죄를 처벌하는 것, 엄벌하는 것도 중요하지만 실효성 있는 재발 방지 대책을 만드는 것도 중요한 일이다.

세금 안 내고 호화 생활 하는 사람들

2013년 11월 28일, 고액 상습 체납자 명단이 발표되었다. 이 명단을 작성하여 발표한 국세청에 따르면 H그룹 부회장 C 씨는 715억 원의 국세를 체납한 것으로 확인됐다. C 씨는 세금을 낼 돈이 한 푼도 없다면서 방송사 카메라까지 집 안에 들여 가구도 집기도 없는 텅 빈 집을 보여줬지만 TV를 보면서 그의 말이 사실일 것이라고 믿는 사람은 별로 없었을 것이다. C 씨가 당시 살고 있었던 집은 세금 체납으로 압류돼 공매로 나온 것을 그의 매제가 사들인 것으로 가족 명의의 옆집과 연결돼 있었다. 그는 '가족이 제공한 돈'으로 좋은 식사를 하고 '가족이 제공한 돈'으로 렌터카를 사용하는 등 돈이 없어서 세금을 수백억 원이나 체납한 사람이라고는 믿어지지 않는 편안한 생활을 하고 있었다.

C 씨가 공매에 나온 자신의 집으로 다시 들어가게 된 사연은 묘하게도 전직 대통령 A 씨와 유사하다. A 씨도 공매에 나온 자신의 집을 '측근'이 사들여 A 씨 부부에게 살도록 해줬기 때문이다. 그뿐만이 아니다. 세금 낼 돈은 단 한 푼도 없다고 해놓고 초호화 생활을 해왔다는 것은 모든 국민들이 잘 알고 있다. D그룹 회장이었던 K 씨의 경우도 마찬가지였다.

그런데도 정부는 이들 모두에 대해 속수무책이라며 지금까지 수수방관해 왔다. 정부가 내세운 명분은 A 씨, K 씨, C 씨 같은 고액 체납자들이 사실상 재산을 가족 명의로 빼돌린 후 "돈이 없어 못 낸다"고 버텨도 이를 찾아낼 방법이 없다는 것이다. 현재 '금융실명거래 및 비밀보장에 관한 법률'에 따르면 국세청은 체납자 본인에 대한 금융정보에 대해서만 조회할 수 있다는 것이다. 따라서 탈세를 위해 사전에 배우자나 부모, 자녀 등 친인척 명의로 재산을 빼돌렸다고 해도 국세청이 증명할 수가 없다는 것이다.

그러나 그동안의 성과 부진은 입법이 미비해서라기보다는 정부의 의지 부족에 더 큰 원인이 있다. K 씨의 경우 예전에 그룹이 해체되기 전에 가족이나 친인척, 측근 등 여러 사람에게로 재산 일부를 분산시켜 놓은 흔적을 최근 한 방송사가 추적하여 찾아냈다. 또 다른 언론사는 전직 대통령 B 씨가 관련된 것으로 보이는 재산을 찾아냈다. B 씨의 사돈인 S그룹의 전직 회장인 S 씨가 관리하던 비자금 230억 원을 반환하라는 법원 판결이 2001년에 내려졌지만 S 씨는 그동안 재산이 없다고 버텨왔다. 그런데 언론사가 1988년부터 지금까지 S 씨 소유로 되어 있는 땅 11만 m^2를 찾아낸 것이다. 땅은 찾아냈지만 문제는 이미 시효가 지나서 강제로 환수할 수 없는 상태라고 이 보도는 전하고 있다.

재산 목록만 조회했더라도 찾아낼 수 있었던 땅, 언론사가 작심하고 뒤지니 얼마 걸리지 않아 간단히 찾아낸 재산을 정부나 경찰, 검찰은 왜 10년이 지나도록 찾아내지 못했을까? 능력 부족이라기보다는 의지 부족 때문이 아닐까? 새로운 정부가 출범하고 과세당국과 수사당국이 강력한 의지로 숨긴 재산을 찾아내자 수십 년 동안 내지 않고 버텨오던 탈세자들이 수천억 원의 추징금을 자진 납부하는 것만 봐도 알 수 있다. 뿐만 아니라 강력한 추징 의지에 더해 세금을 체납하면 할수록 더 손해가 되도록 제도를 개혁해야 한다.

첫째, 세금이나 과태료의 경우 제때 납부하지 않고 지연하면 높은 이자를 무는 반면, 범죄행위로 얻은 부당이득에 대한 추징은 기한을 무한정 넘겨도 이자 한 푼 물지 않는 불합리한 제도가 고쳐져야 한다.

둘째, 고액의 추징금을 미납한 사람들의 은닉 재산을 추적하는 일은 공직자에게만 국한할 일이 아니다. 재벌이든, 공직자든, 권력의 최정상에 섰던 전직 대통령이든 성역을 두지 말고 끝까지 추징해야 한다. 또 시효를 연장해야 한다. 몇 년간만 잘 숨기고 있으면 시효가 만료되어서 정부가 속수무책이 되지 않도록 시효를 연장해야 한다.

셋째, 수백억의 세금을 체납한 채 본인 명의의 재산을 가족이나 지인 명의로 이전하고 호화 생활을 하는 사람들에 대해서는 끝까지 추적해서 추징해야 한다.

넷째, 정부기관끼리, 중앙정부만이 아니라 지방정부까지도 고액 체납자에 대한 정보를 효율적으로 공유해야 한다.

예를 들면, 법무부 출입국관리소는 고액의 세금을 체납한 채 해외여행을 다니는 사람들에 대한 정보를 국세청과 공유해야 하며, 조달청은 정부가 발주한 공사나 납품 대금을 지급하기 전에 체납된 세금부터 공제할 수 있도록 해당 정보를 국세청, 지방자치단체와 공유해야 한다. 관세청에도 수입물품을 통관시키기 전에 체납된 세금을 먼저 징수할 수 있도록 관련 정보를 제대로 제공해야 한다.

특히 지방정부의 세금 추징 노력에 대해 중앙정부가 '남의 일'이라고 외면하지 말고 행정 및 정보 지원을 아끼지 않아야 한다. 각종 복지지출이 중앙정부와 지방정부 간에 매칭펀드* 로 진행되고 있는 상황이고, 취득세 인하까지 발표되어서 지방정부는 세수 부족으로 어려움을 겪고 있는 형편이다. 게다가 지방정부는 압수수색권이나 전문 인력 면에서 국세청과는 비교도 안 될 만큼 열악하기 때문에 탈세 추적과 추징에 한계가 있다. 탈루되고 체납된 지방세수를 거둬들이는 일에는 중앙정부, 지방정부가 따로 없어야 한다.

기획재정부가 주축이 되어 구멍 난 법망과 제도를 촘촘히 메우는 범정부 특별팀이 하루빨리 구성되어야 한다. 탈세를 하고도 호화 생활을 하는 사람에 대해 국세청이나 지방정부가 아무 대책도 없이 뒷짐지고 있지 않도록 징세행정의 허점을 서로 메

* 매칭펀드(matching fund) 중앙정부가 지방자치단체나 민간에 예산을 지원할 때 자구 노력에 연계해 자금을 배정하는 방식.

꿔주는 '종합적 탈세방지 시스템'을 구축해야 한다.

탈세방지 시스템 구축의 출발은 정부 부처 간 탈세정보 칸막이를 허무는 데서부터 시작해야 한다. 법무부 출입국 관리 자료, 조달청 입찰 자료, 관세청 통관 자료, 금융정보분석원 자료, 금융거래 자료 등 체납된 세금과 탈세 추징에 필요한 자료들이 즉각적으로 활용될 수 있도록 교차 확인 시스템을 만들어야 한다.

경제정의의 한 축은 조세정의에 있다. 경제정의, 조세정의를 바로 세우는 개혁을 당장 추진해야 한다. 대한민국 국민 중 누구도 명분 있는 세금 내기를 거부하는 사람은 없을 것이다. 반면 명분 없는 세금 내기를 원하는 사람도 없을 것이다. 첫째 내가 내는 세금이 나라를 위해 꼭 필요한 지출에 쓰인다는 확신, 둘째 내야 할 세금을 안 내고 도망 다니는 사람들을 힘 있다고 빼주고 돈 있다고 빼주지 않고 제대로 잡아준다는 확신, 이 두 가지 확신이 있어야만 누구든 기꺼이 세금을 낼 것이다.

범죄행위로 얻은 부당이득을 반납하지 않고는 단 하루도 버티지 못하는 세상, 고액의 세금을 체납하고 호화 생활을 하는 사람들이 발 붙이지 못하는 세상, 그래서 성실히 세금 내는 사람들이 박탈감을 느끼지 않는 정의로운 그런 세상을 만드는 일, 바로 이것이 '이혜훈이 정치하는 이유'이다.

법 위에 군림하는 재벌

경제법치가 경제민주화의 첫걸음

'밤을 새우면서 새로운 법을 만들면 뭐하나, 법이 있어도 지키지 않고, 법을 어겨도 처벌하지 않으니 누가 법을 지키겠나?"

2008년의 초여름, 그날도 새로운 법률 개정안을 만드느라 밤샐 준비를 하고 국회의원 회관에서 일하고 있다가 문득 든 생각이다. H그룹의 총수가 횡령과 배임 혐의로 대법원에서 3년 징역형의 유죄 판결을 받았지만 5년 집행유예를 선고받고 풀려났다는 뉴스가 보도되었기 때문이다. 한 달 남짓 되는 기간 동안 대법원에서 3년 징역형의 유죄 판결을 받은 재벌 총수가 집행유예로 풀려나 실질적으로는 처벌을 받지 않았다는 보도가 벌써 3번째였다. S그룹 총수는 탈세와 배임 혐의로 대법원에서 3년 징역형이 확정되었지만 5년 집행유예, 또 다른 S그룹의 총수는 분식회계로 대법원에서 3년 징역형이 확정되었지만 5년 집행유예로 풀려났다.

허망하다는 생각이 들었다. 3년 징역형이면 우리나라 사법부의 판결치고는 꽤 중형이라는 생각이 들었다. 그런데도 모두 집행유예로 풀려났다. 새로운 법을 만들면 뭐하겠는가? 법을 어겨도 처벌받지 않는데 누가 법을 지키겠는가? 국회에 더 있을 이유가 없다는 생각마저 들었다.

그래서 새로운 법률 개정안을 만들려던 일을 접어두고 재벌 총수가 실질적인 처벌을 받지 않는 이유부터 찾아보았다. 하나같이 재벌 총수가 처벌받으면 회사 경영에 차질이 우려되기 때문이라는 것이었다. 앞서 말한 3명의 재벌 총수들의 죄목은 횡령, 배임, 탈세, 분식회계 등이었다. 명칭은 달라도 본질은 동일하다. 한마디로 도둑질이다. 횡령, 회사 돈을 훔쳤다는 뜻이다. 배임, 총수 개인의 사익을 취하려고 회사에 손해를 끼쳤다는 뜻이다. 탈세, 국고로 가야 될 세금을 도둑질했다는 뜻이다. 분식회계, 회사 돈을 빼돌리려고 회계장부를 조작했다는 뜻이다. 회사 돈을 도둑질하는 사람이 회사에서 없어지면 회사 경영이 안 될까 우려해서 회사로 돌려보내느라 3년 징역형을 5년 집행유예로 바꿔준다는 얘기가 되는데 도무지 납득하기 어려웠다.

재벌 총수든 전직 대통령이든 그 누구든 법을 집행하는 데 있어서는 성역이 되어서는 안 된다. 오히려 재벌 총수는 결정 하나로 수많은 사람들에게 엄청난 영향을 미칠 수 있으므로 일반인보다 더 엄벌해야 하는 것 아닌가? 그런데 엄벌은 고사하고 일반인이라면 상상도 하기 어려운 면죄부를 주는 것은 납득하기 어렵다. 다른 나라는 정반대다. 중요한 결정을 내리는, 영향력이 큰 사람들의 범죄는 엄벌에 처해 일벌백계로 삼는다.

예를 들면, 2008년 미국발 금융위기의 주범으로 지목된 버나드 메이도프(Bernard Madoff) 나스닥 증권거래소 이사의 경우 71세의 고령에 150년 징역형을 선고받았다. 71세의 고령자가 150년의 형기를 채울 수 없다는 것을 미국의 연방대법원이 몰랐기 때문이 아니라 그만큼 상징적인 처벌이라는 뜻이다. 2001년 회계장부에서 손실은 빼고 실적을 부풀려 주주와 투자자를 속인 엔론과 비용을 이익으로 둔갑시켜 주가를 띄우다 2002년 파산 신청을 낸 월드컴의 최고경영자들에게도 70세 가까운 그들의 나이를 감안하면 사실상 종신형인 25년형이 언도되었다. 미국에서는 살인죄가 아닌 한 25년형 이상의 중형이 선고되는 경우는 국기를 흔드는 전범이나 반란죄뿐이다. 분식회계는 자본주의라는 미국을 유지하는 근간을 뒤흔드는 중대 범죄라고 보는 것이다.

미국처럼 엄벌을 못 하겠다면 적어도 우리 같은 일반인의 범죄와 똑같이 처벌해야 하지 않을까? 이런 생각에서부터 경제민주화, 즉 경제정의 바로 세우기를 시작했다. 경제정의의 첫걸음은 법을 지키고 법을 어기면 법대로 처벌하는 경제법치에서부터 시작해야 한다고 믿는다. 후일 당내에서 같은 생각을 가진 젊은 의원들끼리 '경제민주화실천모임'(이하 경실모)을 만들었을 때 경실모의 제1호 법안을 경제법치 법안으로 정한 것도 이 때문이다.

그 후 재벌 총수들도 중범죄를 저지르면 실질적인 처벌을 받는 일이 많아졌다. 재벌 총수들의 잘못된 전횡으로 투자자들은 물론, 주주들, 그룹 전체에 엄청난 피해를 입히는 예는 적지 않다. 2013년 S그룹 총수는 회사 돈 465억 원을 빼내 개인의 파생상품 투자에 전용했다가 1심과 항소심 재판부 모두에서 징역 4년의 실형을 선고받았다. 전용했던 금액의 돈은 곧바로 회사로 되돌려놓았지만 과거와 달리 법원은 그에게 엄격한 형량을 적용했던 것이다. 그가 불과 몇 년 전 유사한 사건으로 집행유예를 받았음에도 불구하고 자숙하지 않고 또다시 회사 돈을 개인 쌈짓돈 쓰듯 빼내 썼다는 것이 판결의 한 이유였다.

H그룹의 총수도 부실 계열사를 부당하게 지원해 그룹 전체에 수천억 원의 손실을 입힌 혐의로 1심에서 실형 선고를 받았다. 또 C그룹의 총수는 수천억 원대의 비자금 운용, 1000억 원에 가

까운 그룹 자산 횡령 등의 혐의로 기소되었다. H그룹은 총수 일가가 금융 계열사에서 임직원 이름으로 차명 대출을 받아 금융감독원에 적발되었고, 총수의 장남이 회사 돈으로 개인 빌라를 구매한 혐의로 형을 선고받고 사면으로 풀려 난 바 있다. T그룹 총수와 모친이 횡령과 배임 혐의로, L그룹 총수와 아들은 경영권 유지를 위해 2150억 원 상당의 사기성 기업어음 발행 혐의 등으로 이미 실형을 받았거나 재판이 진행 중이다.

재벌 총수든 전직 대통령이든 법 집행 앞에서는 성역이 되지 못하는 세상, 누구든지 법을 지키고 법을 어기면 법에 따라 처벌받는 세상, 그래서 누구든지 부당한 권력을 행사하지 못하는 그런 세상을 만드는 것, 이것이 '이혜훈이 정치하는 이유'이다.

재벌 범죄의 종합판, 동양그룹 사태

"두 다리를 잃은 교통사고 보상금으로 받은 3억을 몽땅 날렸으니, 두 다리를 돌려주든지 3억을 돌려주든지…!"

2013년 가을 4만 9000여 명의 개인 투자자들에게 약 2조 원의 손실을 입힌 동양그룹 사태를 규탄하러 여의도에 몰려든 시위대 중의 어떤 분이 가슴을 치며 울부짖은 말이다.

2013년 9월 30일 동양그룹 3개의 계열사 (주)동양, 동양레저,

동양인터내셔널이 기업회생절차(법정관리)* 신청을 냈다. 다음날인 10월 1일에는 동양시멘트와 동양네트웍스가 그 뒤를 따랐다.

동양그룹이 극도의 자금난을 겪고 있다는 사실을 알 만한 사람은 이미 다 알고 있었다. 동양그룹은 대표적인 수익 창출원이었던 동양시멘트의 수익성이 떨어지고 계열사를 무리하게 늘리면서 2006년부터 부채가 늘어나기 시작했다. 이때부터 동양그룹은 자금을 조달하기 위해 회사채**와 기업어음***을 발행하기 시작했다. 게다가 총수 일가는 동양그룹 내 지배권을 유지하기 위해 계열사 간 순환출자를 통해 금융회사와 비금융회사를 엮어놓았다. 이렇게 하면 연쇄적으로 출자하는 과정에서 자본금을 늘릴 수 있어 적은 지분으로도 그룹 전체를 지배할 수 있게 되기 때문일 것이다. 이런 상황에서 그룹의 부채는 계속 증가했다.

2010년부터 동양그룹 내 비금융회사인 (주)동양, 동양레저, 동양인터내셔널 등의 부실이 심각해지자 이들 계열사들에 대한

* **기업회생절차** 한 기업이 사업을 계속할 만한 가치가 있지만 과잉투자나 금융사고 등의 문제로 인하여 부채를 감당할 수 없을 경우 밟게 되는 법적 절차다. 기업회생절차 신청을 받은 법원은 해당 기업이 사업을 계속할 경우의 가치가 사업을 청산할 경우의 가치보다 크다고 인정되면 회생계획안을 제출받아 인가 여부를 결정한다. 이 과정에서 채무의 일부를 탕감하거나 주식으로 전환하는 등 부채를 조정하여 기업이 회생할 수 있는 발판을 마련하게 된다. 채무가 모두 변제되면 법원은 회생절차의 종결을 결정한다.

** **회사채** 기업이 발행하는 채권으로서 주로 장기적으로 자금을 조달하는 데 이용된다. 주식회사만이 발행 자격을 지니고 이사회의 결의가 있어야 발행할 수 있으며 증권회사의 수요예측을 통해 구매자와 금리가 결정된다. 또한 증권신고서를 제출해야 하고 발행정보를 공시해야 하는 등 발행 조건이 까다롭다.

*** **기업어음** CP(Commercial Paper)라고도 한다. 회사채와 달리 공시 의무가 없고 발행할 때 이사회 결의가 필요 없으며 무제한 발행할 수 있고 만기의 제한도 없다. 또한 수요예측 없이 금리를 정할 수 있다. 이렇듯 기업이 간편하게 돈을 조달할 수 있기 때문에 부실기업에 의해 악용되기도 쉽다.

담보 제공, 기업어음 매입 등으로 비교적 우량하던 계열사들까지 연쇄적으로 부실해졌고, 가망이 없다고 판단한 금융기관들이 지속적으로 그룹에 대한 대출을 회수하기 시작했다. 결국 부도의 위기에까지 몰리자 동양그룹은 계열사들의 기업어음을 대규모로 발행했다. 동양증권은 계열사들이 발행하는 회사채가 투자 대상으로는 적절치 못한 투자부적격 등급을 받고, 신용으로 발행하던 기업어음의 위험성이 불거진 뒤에도 계속 고금리로 투자자들을 유인했다. 말하자면 개인 투자자들에게서 돈을 빌려 그룹의 빚을 돌려 막고 있었던 것이다. 이것이 동양그룹이 경영권 유지를 위해 사기성 기업어음을 발행했다는 의혹을 받고 있는 이유다.

이렇게 마구잡이로 발행된 동양그룹의 회사채와 기업어음은 총 2조 3000억 원에 이르며 이 중 90% 이상을 개인 투자자들이 사들였다. 왜 그랬을까? 기업어음이나 회사채의 경우 주로 기관투자자들과 같은 큰손들이 투자하는 경우가 많은데, 이들은 보수적으로 기금을 운용하기에 우량 기업의 회사채나 기업어음이 아니면 투자를 하지 않는 것이 보통이다. 그렇다 보니 신용등급이 낮아 높은 금리를 주는 것들은 대부분 증권회사가 대량으로 매입한 뒤 작은 단위로 쪼개서 개인 투자자들에게 판매한다.

동양그룹의 경우 회사채와 기업어음이 7~7.9%로 정기예금 금리의 3배 수준이었다. 2008년 세계적인 금융위기 이후 기관투자자들로부터 낮은 신용등급을 받은 동양그룹은 자금난에 몰리자 개인 투자자들에게 눈길을 돌렸다. 동양증권은 동양그룹 계열사들이 발행한 회사채와 기업어음을 사다가 상품으로 만들어 전국 지점을 통해 개인 투자자들에게 판매했다.

동양그룹은 이미 몇 년 전부터 이자보상배율이 0.4에 불과하여 언제 부도날지 모르는 그룹으로 금융권에 알려져 있었다. 눈치 빠른 금융기관들은 돈을 모조리 회수하는 동안 내용을 잘 모르는 개인들이 무더기로 동양그룹 기업어음을 매입했다가 날벼락을 맞은 것이다.

동양그룹 사태로 피해를 입은 개인 투자자들은 4만 9000여 명에 이르고 2조 원 가까운 손실을 입은 것으로 추정되고 있다. 게다가 동양그룹이 기업회생절차를 신청하면서 동양그룹 회사채와 기업어음 투자자들은 투자한 돈을 못 찾을 가능성이 커졌다. 기업회생절차에 들어가면 우선 모든 채권 · 채무가 동결된다. 법원이 파산 결정을 내리면 채권은 탕감되어 변제받을 길이 없어진다. 만약 회생 결정을 내리면 원금의 일부를 돌려받을 수 있지만 이 경우에도 기업어음이나 회사채는 우선순위에서 밀려 돈을 받기까지 몇 년이 걸릴지 알 수가 없다.

모든 금융사고가 마찬가지지만 동양그룹 사태도 내용을 들여다보면 안타까운 사정이 많다. 저금리 시대에 높은 확정금리를 보장해 준다니까 노후의 생계를 유지할 돈을 모조리 털어 넣었다가 피해를 본 노인들이 많았다. 결혼을 앞두고 조금이라도 불려보려고 결혼자금을 전부 투자했다가 다 날린 젊은 여성도 있었다.

투자자뿐 아니라 동양증권 직원들도 피해자라 할 수 있다. 동양그룹의 총수는 부실 계열사들의 기업회생절차를 신청하기 직전까지 "절대 법정관리는 있을 수 없는 일이다, 동양시멘트는 선대 회장이 세운 회사이기 때문에 총력을 다해 살릴 것이니 동양시멘트가 발행한 기업어음은 문제 없다"라며 판매를 독려했던 터라 동양증권의 직원들은 친척과 친지들에게 괜찮을 거라고 기업어음을 팔았다가 모조리 부도가 나자 그 책임에 괴로워하고 있다.

40대 여성 직원이 "고객이 피해를 보지 않으면 좋겠다"는 유서를 남기고 숨진 채 발견되었고, 또 다른 젊은 직원은 차에 번개탄을 피워놓고 목숨을 끊었다. 그는 유서에서 자신의 어머니에게 "이번에는 너무 큰 사고를 쳐서 감당할 수 없다"고 전했으며, 부인에게는 "내가 죽으면 모든 게 해결된다고 하니 나 없어도 아이들 잘 키워달라"고 당부했다.

동양그룹 사태는 우리나라 재벌기업이 가지고 있는 구조적인 문제들을 다각도로 보여주었다. 재벌 총수가 적은 지분으로 가공할 만한 지배력을 가질 수 있게 만드는 순환출자, 금융과 비금융을 분리하지 않고 섞어놓아 서민들이 맡긴 쌈짓돈을 재벌 총수가 부당하게 날려버릴 수 있는 문제 등이 모두 응축되어 나타났다. 후자가 바로 금산(金産)분리의 필요성을 부각하는 문제이다.

그런데 이러한 문제는 우리나라의 재벌기업들이 공통적으로 가지고 있는 구조적 문제라는 데에 커다란 고민이 있다. 동양그룹 사태를 단순히 한 기업의 문제라고 흘려버릴 수 없는 이유다. 이런 잘못된 구조를 고치지 않으면 제2, 제3의 동양그룹 사태는 언제라도 다시 일어날 것이고, 우리 경제와 사회는 또 요동칠 수밖에 없을 것이다.

금산분리, 서민을 보호하는 최소한의 안전판

금산분리가 안 되어 발생하는 문제는 그 피해가 심각하다. 통상적으로 반도체나 자동차 같은 비금융 기업이 파산하면 그 피해와 손실이 그 기업의 임직원이나 하청업체 등 기업 내부라고 볼 수 있는 계층에 국한된다. 그러나 보험, 증권, 펀드와 같은 금융 기업의 경우는 파산으로 인한 피해와 손실이 금융기관에 돈을 맡긴 수많은 일반인들, 즉 광범위한 국민들에게 돌아가게 된다. 금융기관에 돈을 맡긴 국민들은 사실상 그 금융기관의 경영 부실에 책임도 없고 경영을 부실하게 하는 재벌 총수를 견제할 힘도 없다. 그냥 앉아서 당하는 것이다.

이번 동양그룹 사태에서 보듯이 증권 같은 금융 계열사와 시멘트 같은 비금융 계열사를 섞어서 운영하는 재벌 총수들은 계열사 중의 하나가 부실해지면 그 부실 계열사를 살리기 위해 금융 계열사를 동원하지만 결국은 그 부실 계열사도 살리지 못한 채 동반부실로 몰락하는 일이 많다. 동반부실로 그룹이 몰락하게 되면 금융회사에 보험금, 증권예탁금, 펀드 가입비로 돈을 맡긴 서민들이 전 재산을 날리는 날벼락을 맞게 된다. 과거 대우그룹의 몰락도 이와 크게 다르지 않다.

바로 이런 위험성이 있기 때문에 재벌그룹 내 비금융 계열사 중에 부실 계열사가 생겨도 재벌 총수가 자기 마음대로 금융 계열사로부터 부당한 지원을 하지 못하도록 금융회사와 비금융회사 사이에 칸막이를 쳐주자는 것이 금산분리의 취지이다. 그러니까 금산분리란 재벌 총수가 서민들이 맡긴 쌈짓돈을 부당하게 자기 마음대로 사용하지 못하게 지켜주는 안전판이다.

금산분리의 중요성을 이해하기 위해서는 우선 금융과 산업의 특성이 너무 다르다는 점을 알아두어야 한다. 금융은 남의 돈으로 사업하는 부문이다. 즉 고객들으로부터 수탁받은 돈을 여기저기 투자해서 불림으로써 수익을 낸다. 따라서 외부 자금에 대한 의존도가 높을 수밖에 없으며 당연히 자기자본에 비해 부채가 무척 높다. 금융기관 평균 자기자본 대비 부채 비율이 1150%

라는 사실은 이런 특징을 극명하게 보여준다. 이러한 사업 구조로 인하여 금융회사는 대개 고위험을 추구하기 마련이다.

반면 금융 부문에서는 돈을 빌려주거나 수탁하는 사람들이 자신의 돈이 제대로 상환될지 '모니터링'하기가 어렵다. 예를 들어 한 보험상품에 가입한 피보험자가 보험회사의 자금 운용에 문제가 있는지 알기가 어렵고, 설령 알았다 하더라도 그 문제를 고치라고 요구하기는 더욱 어렵다. 예컨대 삼성생명의 보험 가입자란 이유만으로 삼성그룹 전체의 결합재무제표를 보여달라고 요구할 수도 없거니와 요구해도 수용되지도 않는다.

금융업과는 달리 제조업이나 서비스업은 대부분 자기자본으로 사업하므로 부채 비율이 낮고 이들에게 돈을 빌려준 채권자가 회사의 운영 상태를 '모니터링'하기도 비교적 쉽다. 꾸어준 돈을 부당하게 사용한다 싶으면 제재를 가할 수단도 많다.

그런데 금융업과 제조 · 서비스업을 한 조직 내에 묶어 놓고 이를 한 사람이 좌지우지할 수 있다면 고위험에 감시가 어려운 금융 부문에서 돈을 날릴 가능성이 높아진다. 반도체회로보다 더 복잡한 순환출자 고리로 금융 계열사와 비금융 계열사가 엉겨 있는 우리나라 재벌의 경우는 특히 돈을 맡긴 고객의 이해와 총수 일가의 이해가 충돌할 수밖에 없기 때문에 더욱 그렇다. 동양그룹 사태가 이런 점을 극명하게 보여주었다.

문제는 우리나라 재벌의 대부분이 동양그룹과 그 구조가 비슷하다는 점이다. 그러므로 이런 위험한 구조로는 튼튼한 기업, 안정적인 경제성장은 기대하기 어렵다. 이것이 바로 계열사 간 순환출자 금지와 함께 금융 계열사가 비금융 계열사 지원에 편법적으로 동원되지 않도록 원천적으로 칸막이를 쳐주는 금산분리의 강화가 절실한 이유이다.

2010년 은행 및 은행지주회사에 대한 소유한도를 현재의 9%(지방은행 15%)에서 4%로 낮추는 안은 통과되었다. 그러나 현재 금산분리에 관한 규정은 "비금융 주력자는 은행주식의 4%를 초과하여 보유할 수 없으며 의결권을 행사하지 않는 조건으로 금융감독위원회의 승인을 받은 경우 10%까지 보유가 가능하다"고 되어 있기 때문에 진정한 '금산분리'가 아니라 산업자본의 은행 지배를 막는 '은산(銀産)분리'에 그치고 있는 것이다.

은산분리 조항만으로는 재벌이 증권회사와 같은 계열 금융회사를 활용해 편법으로 자금을 조달하는 것을 사전에 막을 수 없다는 것이 이번 동양그룹 사태에서 명확히 드러난 만큼 진정한 '금산분리법'이 도입되어야 할 것이다. 즉 '산업자본의 금융자본 소유 금지' 원칙이 제2금융권으로도 확대 적용되어야 한다.

금산분리 강화를 위해서는 공정거래위원회의 더욱 적극적인 역할도 요구된다. 공정거래위원장이 동양그룹 사태 직후 언론과의 인터뷰에서 "동양그룹에서 순환출자가 부실 계열사를 지원하는 수단으로 활용됐다, 유사 사태 재발 방지를 위해 신규

순환출자금지 법안이 조속히 마련되어야 하고 금산분리가 강화되어야 한다"는 취지의 발언을 공개적으로 한 만큼 최소한의 제도적 장치들이 조속히 마련되도록 적극적으로 움직여야 할 것이다.

재벌 총수의 전횡을 견제하기 위해서는 이외에도 대주주 적격성 심사를 반드시 강화해야 한다. 대주주 적격성 심사는 금융회사 대주주가 횡령이나 배임죄 등 범죄를 저질렀을 때 의결권을 제한하거나 소유 주식을 처분하라는 명령을 내리는 등의 조치를 통해 경영권을 제한하는 제도다. 현재는 은행과 저축은행에만 적용되고 있는데, 증권회사, 보험사, 카드회사, 대부업체 등 제2금융권에도 적용되어야 한다. 동양그룹 총수 등이 동양증권을 통해 계열사의 회사채와 기업어음을 사실상 강매한 사건이나, 효성그룹 총수 일가가 임원의 이름을 빌려 계열사인 효성캐피탈에서 수십억 원의 대출을 받은 사건은 이러한 전횡이 대주주로서의 지위 자체가 위협받을 수 있을 정도로 강력한 제재가 가해지지 않고서는 근절되기 어렵다는 사실을 잘 보여준다.

책임을 확실히 묻는 감독체계

동양그룹 사태는 감독체계와 관련해서도 많은 메시지를 던지고 있다. 동양그룹 사태의 책임의 한 축이 금융감독당국에도 있었음을 아무도 부인할 수 없을 것이기 때문이다.

가장 중요한 것은 금융감독당국이 투자자의 피해가 최소화되는 방향으로 최대한 노력해야 한다는 것이다. 현행법에 의하면 안전한 것처럼 속여서 판매하는 불완전판매로 인한 손실은 보상받을 수 있다. 하지만 재판을 하게 되면 시간이 오래 걸리고 비용이 많이 든다. 이보다 더 큰 문제는 피해 구제를 받기 위해서는 회사채나 기업어음을 매입할 때 당시 상황을 입증할 수 있는 녹취록, 안내장, 광고문, 설명자료 등이 필요한데 이러한 증거를 피해자들이 확보하기 어렵다는 것이다. 대체로 '절대 문제가 없다'는 설명은 직원들로부터 구두로 듣고 정작 계약서에는 그런 말이 없는데도 자필 서명한 경우가 많기 때문이다. 또 설령 오랜 재판 끝에 승소한다고 하더라도 문제의 금융기관에 배상을 해줄 능력이 남아 있겠는가 하는 점도 크게 우려되는 대목이다. 이렇듯 피해자들이 가야 할 길이 멀고 험난한 만큼 당국의 책임 있는 감독이 절실하다.

금융감독당국은 재무 상태가 극도로 악화된 동양그룹이 천문학적인 액수의 기업어음을 발행해 개인들에게 판매하고 있는 동안 동양그룹의 다급한 내부 사정을 이미 오래전부터 파악하고 있었으면서도 "아직 도산하지 않은 기업의 어음 발행을 막을 아무런 법적 규정이나 제재수단이 없다"면서 수수방관했다. 자본시장법상 기업어음은 아무나 발행할 수 있도록 되어 있기 때문에 신용으로 발행되는 만큼 사주는 사람만 있으면 감독당국이 발행을 중지할 법적 근거와 명분이 없다는 것이다. '뻔히 예상되었던' 사고가 터져서 정식으로 개입할 '법적 권한'이 생긴 만큼 금융감독당국은 이제부터라도 철저하게 진상을 파악하여 향후 벌어지게 될 불완전판매나 사기피해 분쟁조정 소송에서 책임지고 수습을 도와야 한다.

동양그룹 총수 일가도 사재 출연을 통한 진정성 있는 태도를 보여야 한다. 계열사의 부도 가능성을 숨기고 기업어음과 회사채를 판매해서 서민들에게 엄청난 손실을 입힌 총수 일가가 최소한의 도덕적 · 사회적 책임을 지는 유일한 방법이 바로 총수 일가의 사재 출연이다. 총수 일가가 사재 출연을 거부한다면 금융감독당국이 나서야 한다. 적어도 '기업, 주주, 채권자는 다 망해도 기업주는 산다'는 정의롭지 못한 사태가 발생하도록 해서는 안 된다. 많은 경우 회사가 부도 상황에 처하면 총수 일가 명의의 재산은 차명으로 은닉되는 것이 다반사이다. 사정당국은 은닉된 총수 일가의 차명 재산 추적에 최선을 다해야 할 것이다.

동양증권 직원들과 투자자들은 동양시멘트의 법정관리 신청에 의혹을 제기하며 철회를 요구하고 있다. 동양시멘트는 부채비율도 낮고 단기 차입금 비중도 낮아 재무 상태가 우량한 편이었다. 이런 이유로 워크아웃(기업개선작업)에 들어가거나 채권단과 논의하여 구조조정을 할 것이라는 예상이 많았지만, 동양그룹은 부실한 3개 계열사와 함께 기업회생절차 신청을 해 많은 의문을 낳았다. 동양증권 직원들과 투자자들은 이에 대해 그룹 회장이 동양시멘트에 대한 경영권 유지와 채무 탕감을 노리고 한 선택이라고 생각하고 있다. 워크아웃은 돈을 빌려준 은행 등 채권단을 중심으로 구조조정을 하기 때문에 채권단이 해당 기업의 경영에 적극 개입하지만 기업회생절차의 경우 기존의 경영진이 법정 관리인으로 선임되어 경영권을 행사하는 경우가 많기 때문이다. 그러므로 검찰은 동양그룹 총수 일가의 기업어음 사기 발행 의혹뿐만 아니라, 부도 직전에 대규모 자산을 빼돌렸다는 의혹에 대해서도 철저하게 수사해야 한다.

이를 밝히기 위해서는 동양그룹 총수 일가와 관련자들에 대한 검찰의 신속하고 엄정한 수사뿐만 아니라 금융감독원과 금융위원회에 대한 감사원 감사도 필요하다. 단순히 금융감독기관의 책임을 묻자는 뜻이 아니다. 금융감독당국의 처리 방식과 과정을 점검해서 잘못된 결정이 있었다면 앞으로 다시는 그런 일이 되풀이되지 않도록 점검해야 한다는 것이다. 금융위원회에 대해서는 2013년 4월, 재벌그룹 내 증권회사가 투기등급 이하의 부실 계열사 회사채와 기업어음은 아예 권유조차 못 하도록 금지하는 규정을 만들고도 시행일을 6개월이나 미루는 바람에 이번 사태의 피해를 키운 배경에 대한 의혹들이 제기되고 있다. 동양그룹 측이 '규정의 시행 일자를 늦춰달라'고 금융위원회에 요청하는 문건이 발견되었으므로 시행 연기에 불가피한 이유가 있었는지 아니면 로비가 있었던 것인지 철저한 조사와 그에 상응하는 조치가 있어야 할 것이다.

금융감독원에 대해서는 '계열사가 발행한 회사채와 기업어음을 동일 그룹 내 증권회사가 발행일로부터 3개월 이내에는 고객에게 팔지 못한다'고 금지하고 있는 현행법을 동양증권이 어기고 오랫동안 탈법적 삼각거래를 해오고 있었다는 사실을 정말 몰랐는지 철저히 밝혀야 한다. 만약 알고도 묵인했다면 그에 상응하는 책임을 물어야 될 것이고, 만약 몰랐다면 무능이나 직무유기의 가능성이 제기되는 만큼 그에 상응하는 책임을 물어야 한다. 또한 2005년 11월 30일 도입된 '특정 금전신탁을 통한 계열사 지원 목적의 기업어음 취득 금지'라는 규제 장치가 어째서 작동하지 않았는지도 밝혀야 할 것이다.

동양그룹 기업어음 피해자들 가운데는 동양그룹의 어려운 자금 사정을 알면서도 높은 이자에 혹해서 투자한 사람도 물론 있을 것이다. 실제 안전자산을 선호하는 고객들이 주로 거래하는 은행이나 저축은행과는 달리 '증권회사'에서 아무나 쉽게 발행할 수 있는 기업어음을 사들였기 때문에 일반 금융투자 피해자들과는 처리가 달라야 한다는 주장도 나온다. 그러나 동양그룹 사태의 피해자들 대부분이 동양그룹의 내용을 잘 모른 채 기업어음을 매입했던 개인 투자자들일 뿐만 아니라 '짧은 기간이라 괜찮을 것'이라는 동양증권 직원들의 말만 믿고 투자했던 직원들의 지인들도 상당수다. 게다가 동양그룹 총수 일가를 비롯한 경영진들이 직원들에게까지 그룹의 자금 사정을 숨기고 기업어음 판매를 독려했다는 주장도 나오고 있다. 그런 만큼 철저한 조사를 한 후 이에 맞는 민형사상의 책임을 반드시 물어야 할 것이다.

경제민주화가 안 되면 경제활성화는 공염불

"마치 경제활성화를 위해서는 경제민주화를 포기해야 하는 것처럼 오도하는 주장이 있다. 동양그룹 사태를 통해 이런 주장이 얼마나 위험한지 지금 우리는 목도하고 있다. 재벌그룹 내 금융회사들이 총수의 사금고로 전락하는 것을 막는 안전장치를 만들자, 부실 계열사들을 연명하는 데 불법으로 금융회사가 동원되지 못하도록 안전장치를 만들자, 재벌 총수들이 서민들이 맡긴 목돈을 부당하게 날리지 못하도록 안전장치를 만들자라는 경제민주화 요구를 외면하고 경제활성화에만 매진한다면 이런 참사는 언제든지 재발할 수 있다."

2013년 10월 10일 새누리당 최고위원회의에서 발언한 요지이다.

경제민주화, 즉 경제정의 바로 세우기는 필연적으로 그동안 부당한 권한을 행사해 온 모든 사람들을 불편하게 만들고 그들로 하여금 경제민주화 반대전선을 형성하게 만든다. 우리나라 재벌 구조하에서는 1만 분의 8이라는 아주 적은 지분을 가진 재벌 총수가 수천억 원을 횡령해도 검찰 조사가 발표될 때까지 그룹 내에서는 그러한 불법 행위에 제동을 걸지 못한 것은 물론 인지조차 하지 못했다. 사정이 이러하니 1만 분의 8이라는 아주 적은 지분으로 100% 지배력을 행사하는 우리나라 재벌 총수들이 경제민주화 저지에 갖은 논리를 동원하는 것은 당연한 일일지 모른다.

경제민주화를 저지하는 사람들은 직접적으로 반대한다고 말하지는 않는다. 경제정의는 좋은 것이고 또 필요한 것이지만 지금은 경제가 어려우니 잠깐 접어두고 경제부터 살린 후에 하자고 한다. 일견 일리 있게 들릴 수 있다. 하지만 동양그룹 사태는 그들의 주장이 얼마나 허구인지 극명하게 보여준다. 왜냐하면 경제정의가 확립되지 않으면 경제활성화 자체도 어렵고, 설사 경제활성화가 된다고 한들 정당하게 그 결실을 누려야 할 사람들이 아닌 엉뚱한 사람들이 그 결실을 뺏어가기 때문이다. 순환출자의 문제, 금산이 분리가 안 된 구조의 문제 때문에 동양그룹이 몰락했고, 동양그룹의 몰락은 경제활성화를 거꾸로 되돌리는 일이었다.

경제민주화를 저지하는 세력들은 또 경제민주화가 '재벌 죽이기'라고 매도한다. 경제민주화, 즉 경제정의 바로 세우기는 재벌을 죽이자는 것이 아니라 재벌도 법대로 사업하게 만들자는 것이다. 재벌도 법대로 사업하라는 것이 재벌 죽이기라면 중소기업은 법대로 사업해야 되고 재벌은 불법을 해도 무방하다는 이야기인가? 그건 아니지 않는가?

우리나라 재벌은 세계 어느 나라에서도 찾기 어려운 국제경쟁력을 가지고 있다. 인재 강국인 대한민국의 초일류 인재들이 모여 있고, 천문학적인 자금력을 갖추고 있고, 초국적인 유통망과 전 세계를 망라하는 네트워크를 가지고 있기 때문이다. 이런 경쟁력을 가지고 세계무대에서 벤츠, 애플이랑 싸워 이겨달라는 것이다. 대한민국의 향후 50년, 100년을 먹여 살릴 성장엔진을 만드는 데 주력하면 전 국가적으로 밀어주겠다는 것이다.

태양광 산업, 항공우주 산업, 신약개발 산업에 진출하고 신약을 개발하는 데 걸림돌이 되는 불합리한 규제들은 풀어주고, 세금이 무거우면 좀 깎아주고, 자금이 필요하면 장기저리로 융자도 해주겠다는 이야기다. 단, 동네 골목상권 몰아내고, 하청기업 기술 탈취하고, 단가 후려치고, 1만 분의 8밖에 안 되는 지분으로 100% 권한 휘두르면서 회사 돈 횡령하고, 서민들 평생 모은 전 재산을 총수가 마음대로 부당하게 날려버리는 그런 일은 못 하게 막아야 한다.

교통사고로 잃은 두 다리와 맞바꾼 전 재산을 재벌 총수가 부당하게 날려버리지 못하게 확실한 안전판이 만들어져 있는 세상, 재벌은 세계무대에서 대한민국의 새로운 성장엔진을 창출해 오고 골목상권은 생업을 지켜나가는 그런 세상을 만들려는 것이 '이혜훈이 정치하는 이유'이다.

부패사슬 끊기

아시아 선진국 중 최악의 부패국가

2008년 미국발 금융위기에 이어 벌어진 2012년 유럽발 재정위기는 또 한 번 세계경제를 뒤흔들었다. 대부분의 언론들은 그리스, 스페인 등 남유럽 국가의 재앙은 분에 넘치는 과잉복지 때문이라고 몰아갔지만 그 속을 면밀히 살펴보면 위기의 근원은 바로 부정부패였다. 정치인, 관료, 대기업 경영자 등 상류층은 뇌물과 향락에 파묻혔고, 그에 대한 국민의 불만을 잠재우기 위해 복지 사탕을 던져주다가 결국 파탄을 맞은 측면이 있다. 그렇다면 우리나라는 과연 그들과 얼마나 다를까.

2013년 11월 29일 '투명사회를 위한 정보공개센터'가 국민권익위원회로부터 넘겨 받아 공개한 2010~2년 중앙 행정기관과 광역 · 기초 · 교육 자치단체 소속 공무원들의 행동강령 위반 사례에는 공무원 비리의 실상이 적나라하게 드러나 있다. 공직자의 부정부패를 막고자 마련된 '공무원 행동강령'을 위반한 행위로는 금품 등의 수수, 애초 목적과 다른 용도로 예산 사용, 알선 · 청탁 · 이권 개입, 공용물의 사적 이용, 외부 강의 등에 대한 신고 의무 위반 등이 있었는데, 이 중 금품 등을 받은 사례가 가장 많았고 예산의 목적 외 사용, 알선 · 청탁 · 이권 개입, 공용물의 사적 이용이 그 뒤를 이었다. 이에 대해서는 파면 · 해임 · 강등 · 정직 등 중징계와 감봉 · 견책 등 경징계, 주의 · 경고, 인사조치, 훈계 등 인사상의 불이익이 가해졌는데, 이 중 주의 · 경고가 가장 많았고 파면 · 해임 · 강등 · 정직 등의 중징계는 감소 추세였다.

최근에도 억대의 뇌물을 받은 수산물 검역공무원이 구속되고 관급 공사를 몰아준 대가로 외제차 리스 비용과 자녀의 게임기 구입비까지 챙긴 공무원이 적발됐다. 한 고위 공무원도 고위 임명직 청문회에서 사업을 하는 친구로부터 아예 신용카드를 받아 생활해 온 사실이 드러나 낙마했다. 그뿐인가? 한국수력원자력 같은 조직은 국민의 안전과 생명을 담보로 아예 집단 전체가 비리의 온상으로 지목되기도 했다.

공직자 비리는 사회적 고질병이며 경제정의를 후퇴시켜 경제성장의 발목을 잡는다. "한국이 아시아 선진국 중 최악의 부패국가"로 선정되는 불명예를 씻기 위해서라도 공직자 비리는 당연히 엄벌에 처해야 한다.

그런데 이들을 처벌하는 과정에서 불거진 문제는 '대가성'이다. 아무리 돈과 향응과 접대를 받아도 직무와 관련이 없으면 이를 처벌하기 어려운 것이 현행 관련법 규정이기 때문이다. 대표적인 사례가 전직 국세청장의 경우다. C그룹이 3560억 원을 탈세한 정황을 확인하고도 추징하지 않는 대가로 3억 원이 넘는 미 달러화와 통상 수천만 원을 호가한다는 명품시계 수수 혐의를 받고 있는 전직 국세청장은 금품 수수 사실은 순순히 인정하면서도 대가성은 극구 부인하고 있다. 아무리 많은 금품을 받아도 직무 관련성이나 대가성이 없으면 형사처벌 하기 어려운 현행법의 허점을 잘 알기 때문이다.

이 같은 허점을 보완하기 위해 이른바 '부정청탁 금지 및 공직자의 이해충돌 방지법안'이 2012년 8월 입법 예고되었다. 김영란 전 국민권익위원장이 발의한 법이라고 해서 '김영란 법'이라고도 불리는 이 법의 원안은 "공직자가 100만 원 이상의 금품이나 향응을 받으면 대가성이 없어도 형사처벌 한다"고 되어 있었다. 미국 법에는 공직자는 20달러(약 2만 원)짜리 이상의 선물이나 향응을 받을 수 없게 엄격하게 금지하고 있으니 액수 면에서 미국보다는 훨씬 너그러운 법인데 그마저도 부처 간 협의 과정에서 직무 관련성 없이 돈을 받은 경우는 과태료만 부과하도록 대폭 수정되었다.

접대 술자리 없는 세상

김영란 법의 조속한 통과만큼이나 중요한 것은 법안의 실질적인 내용이다. 김영란 법이 당초 취지와는 달리 직무 관련성이 없는 금품 수수의 경우 형사처벌 하지 않고 과태료만 물리는 것으로 완화되었기 때문에 현재의 법안대로라면 향응을 받거나 뇌물을 받아도 공무원 신분을 그대로 유지함은 물론, 연금도 받고, 전과기록도 남지 않는다.

법무부는 이렇게 완화해야 하는 이유로 '예를 들어 기업하는 사람이 공무원인 친척의 결혼식 축의금으로 300만 원을 낸 경우까지 처벌하게 되면 너무나 억울한 사람이 생긴다'라고 설명하고 있다. 하지만 이는 구더기 무서우니 장을 담그지 말자고 강변하는 것이나 다름없다. 사촌의 결혼식 축의금이 그렇게까지 걱정된다면 친인척 간의 경조사처럼 인륜으로 인정되는 경우는 예외조항으로 처리하는 등 법안 본래의 취지는 살리면서 억울한 피해는 막는 방법이 얼마든지 있지 않겠는가.

C그룹 탈세 사건에서 드러난 것처럼 최근 공무원들을 대상으로 하는 기업의 로비는 언젠가 결정권을 쥐는 자리에 갈 가능성이 있는 사람들에 대해서는 사무관, 서기관일 때부터 동창, 동향, 선후배 인맥을 씨줄, 날줄로 촘촘히 엮어서 술 사고, 밥 사고, 골프접대 하며 꾸준히 관리하는 방식이기 때문에 당장의 직무 관련성이나 대가성을 입증하기 어렵다.

따라서 대가성이 없더라도 처벌해야 한다는 김영란 법은 부패의 카르텔로 얼룩진 공직사회를 정화할 수 있는 아주 초보적인 부패 규제법안인데 이조차도 대폭 후퇴한다면 국회를 통과하더라도 법안의 의미가 사라지고 만다.

심심하면 터져 나오는 대형 비리 사건은 국민들에게 큰 좌절감을 줄 뿐만 아니라 경제적으로도 큰 손실을 끼치고 있다. 우리나라의 부패지수가 OECD 34개국 가운데 지금의 27위에서 17위만 되어도 경제성장률이 0.6% 포인트는 상승한다는 통계가 나올 정도다.

김영란 법의 원안 통과는 정의가 강물처럼 흐르는 세상으로의 첫걸음이다. 공직자들이 자신의 사사로운 이익보다는 국민 전체의 공익을 우선하는 세상, 언제 누가 내 목줄을 쥐는 자리에 갈지 몰라 평생을 술 사고, 밥 사고, 골프접대 하느라 가족들과의 오붓한 저녁시간도, 주말도 없이 술자리를 전전하지 않아도 되는 그런 세상을 만드는 것, 이것이 '이혜훈이 정치하는 이유'이다.

3.
따뜻한
경제

"힘센 사람의 특권과 반칙, 횡포를 막아내는 정치가 제대로 작동하는 세상, 힘이 없어 억울한 일 당하는 사람이 없는 그런 세상을 만드는 것, 이것이 '이혜훈이 정치하는 이유'입니다."

갑의 횡포를 막으려면

선진사회로 가기 위한 필수 요건

선진국과 후진국을 가르는 기준이 무엇인가? 한 가지만 꼽으라 한다면 '힘센 사람의 특권과 반칙, 횡포를 막아내는 장치가 제대로 작동하는가'의 여부라고 말하고 싶다. 그런 장치가 제대로 작동하는 세상, 힘이 없어 억울한 일 당하는 사람이 없는 세상을 만들려는 것이 '이혜훈이 정치하는 이유'이다.

우리 사회에는 갑의 횡포가 만연해 있다. 재고물량 밀어내기에 저항하는 대리점 주인에게 폭언을 퍼붓는 대기업 영업직원, 라면을 입맛에 맞게 끓여오지 않았다고 항공사 승무원을 폭행한 대기업 상무, 불법 주차한 차량을 빼달라고 요구하는 호텔 직원에게 막말을 퍼부은 대형 제과업체 사장. 갑의 횡포에 눈물 흘리는 을의 이야기가 서민의 분노를 불러일으켰고 소셜 네트워크 서비스(SNS)를 달구었다. 우리 사회에 만연하는 갑의 권력 남용, 갑의 횡포는 단지 당사자들 간의 문제로만 볼 수는 없다. 이것은 우리 사회의 경제력 집중 및 불공정거래, 정부의 감독 소홀 등 구조적이며 근본적인 문제점을 드러낸 것이며, 이를 해결하지 않고서는 선진사회로 발전할 수 없기 때문이다.

을을 울리는 다양한 횡포들

우리 사회에 만연해 있는 갑의 횡포를 유형별로 나누어 살펴보자. N사의 영업직원이 대리점주에게 욕설 및 폭언을 퍼부은 사건은 우리 사회의 대표적인 갑을관계인 대기업과 대리점 간의 관계를 보여준다. N사 영업사원은 유통기한이 임박한 제품을 강제로 떠넘기려다가 대리점주가 반발하자 거래를 끊겠다는 협박과 함께 욕설을 퍼부었다. A사도 대리점에 제품을 강제로 밀어내기 하려다가 반발에 부딪혔고, 막말을 퍼부어 문제가 된 바 있다. 대기업과 대리점의 관계는 전형적인 갑을관계라 할 수 있다. N사 대리점 피해자협의회가 회사 측의 부당한 행위로 공개한 것은 전산발주 조작, 유통기한 임박한 물건 떠넘기기, 유통업체 파견사원의 임금 대납 강요, 각종 떡값 요구, 인격 모독과 고압적인 행동 등이다.

프랜차이즈업체와 가맹점의 관계도 마찬가지다. 2013년 5월 7일 열린 '재벌 · 대기업 불공정 횡포 피해사례 발표회'에 참석한 유제만 씨의 사례를 보면 단적으로 드러난다. 유 씨는 2003년 7월 충남 천안시 신부동 주택가에 'C베이커리'를 열었다. 휴일도 없이 매일 아침 7시부터 저녁 10시까지 문을 열었지만 장사가 안 돼 직원을 둘 수 없었다. 아내와 둘이 가게를 꾸렸지만 2009년 맞은편에 경쟁업체 제과점이 들어서면서 상황은 더 악화됐다. 매출은 하루가 다르게 떨어졌고 결국 가게를 다른 동네로 옮겼다. 점포를 이전하면서 인테리어, 냉장고 및 에어컨 설치 비용으로 7500만 원의 돈을 들였지만 본사의 횡포로 유 씨의 형편은 점점 어려워지기만 했다. 본사는 2010년 6월부터 생크림 케이크의 주문을 낮 12시까지만 하라고 했다. 다음날 오후에 팔릴 케이크를 미리 예상해 낮 12시에 주문하라는 것인데, 이 때문에 재고가 쌓여 오히려 적자가 늘었다. 2011년에 주문 마감시간이 오후 5시로 늦춰졌지만 가맹점주들의 어려움은 그뿐만이 아니다. 2012년에는 반품제도를 폐지하는 바람에 주문 판단을 조금만 잘못해도 쌓이는 재고를 고스란히 떠안아야 해 가맹점들의 형편은 점점 악화될 수밖에 없다.

편의점 가맹점주들도 어려운 형편은 마찬가지다. 적자가 쌓이고 부채가 늘어가도 마음대로 폐업도 할 수 없는 편의점 가맹점주가 결국 자살이라는 막다른 선택을 하면서 편의점 프랜차이즈 기업의 부당한 관행이 사회적 쟁점으로 떠올랐다. 이들은 기존 가맹점이 있는데도 주변에 새 가맹점을 개점하는 비도덕적인 행위를 저질러 가맹점주들의 어려움을 가중했다. 서울 화곡동에서 G사의 가맹점을 운영하던 주모 씨는 인근 50~60m 내에 신규 점포가 2개나 들어서자 큰 어려움을 겪게 되었다. 이에 따라 공정거래위원회에 불공정거래행위로 본사를 제소했지만 8개월 후에 돌아온 대답은 '민사소송으로 해결하라'는 것이었다고 한다. 주 씨는 너무 큰 분노를 느껴 권리금과 계약해지금 등 2억 원이 넘는 손해를 무릅쓰고 폐점했다. 계약 내용이 편의점 가맹점주들에게 일방적으로 불리하게 되어 있기 때문이다. 편의점 가맹점주들이 적자가 쌓여도 쉽게 폐점 결정을 내릴 수 없는 이유가 바로 여기에 있다. 주 씨도 평생 모아온 돈을 손해보고서야 폐점할 수 있었다.

대기업들의 횡포를 짐작할 수 있는 다른 방법은 중소기업의 영업이익률*을 살펴보는 것이다. 영업이익률은 정상적 상태라면 경기순환에 따라 변동해야 한다. 그런데 우리나라 중소기업 영업이익률은 불황기든 호황기든 5.5%로 일정하다. 이에 반해 대기업은 호황일 경우 8.8%이다가 불황일 때는 5.7%까지 하락

* **영업이익률** 영업이익은 기업이 영업활동을 통해 얻는 이익을 말하는데, 기업이 얼마만큼을 팔았는지 나타내는 매출액에서 이런 매출을 내는 데 들어간 비용을 뺀 금액이다. 영업이익률은 매출액에 대한 영업이익의 비율을 말하며, 기업 영업활동의 능률을 측정하는 기준이 된다.

한다. 호황이 되면 중소기업들의 영업이익률을 겨우 연명할 수 있는 수준인 5.5%선으로 묶어두고 나머지 이익을 발주를 주는 대기업이 다 가져가기 때문이다. 성장의 과실을 재벌기업이 독식한다는 근거로 해석될 수 있다.

이런 현상을 가능하게 하는 연결고리가 대기업의 납품단가 후려치기다. 대기업에 납품하는 중소기업들에 가장 큰 어려움을 안겨주는 것이 바로 이것이다. 중소기업중앙회 조사를 보면 대기업 납품단가가 적정하지 않다는 중소기업이 54%에 이르며, 적정하다고 평가한 비율은 16.5%에 불과했다. 대기업이 생산성을 올린다는 명목으로 단가를 인하해 계약을 맺고, 심지어 계약을 맺은 후에도 추가로 인하를 요구하는 사례가 적지 않다.

물휴지를 생산하는 모 중소기업 대표는 "대형할인점용 제품을 주문하면서 원가 이하의 가격을 요구해 왔다"면서 "원가 이하로는 어렵다고 완곡하게 표현하자 당장 몇 달 전에 주문했던 물량을 다른 곳으로 이전하겠다는 연락을 해왔다"고 호소했다. 이처럼 구두로 통보한 주문에 대해서는 아무런 설명 없이 취소하거나 다른 업체로 주문을 옮기는 경우도 적지 않다.

또 계약을 맺은 이후에 원자재 가격이 올라도 이를 반영해 주는 대기업은 드물다. 중소기업중앙회 조사를 보면 2011년의 제조원가를 100으로 봤을 때 2012년 제조원가는 6.6% 올랐고, 2013년에는 4월 기준으로는 8.3% 올랐다. 재료비와 노무비, 각종 경비 등이 매년 증가하기 때문이다. 하지만 2011년과 비교한 납품단가는 2012년 0.2%, 2013년 0.6% 오르는 데 그쳤다. 3차 이상 협력업체들의 경우 2011년 대비 2013년 납품단가는 오히려 0.9% 하락했다. 업종별로 보면 자동차, 전기 · 전자, 기계 분야 협력업체의 단가가 떨어졌다. 대기업의 수익이 스스로의 효율화, 생산성 향상을 통해 이루어졌다기보다는 납품업체 쥐어짜기, 납품가 후려치기 등으로 얻어냈다는 비판이 무성한 이유가 바로 여기에 있다.

파견직원과 감정노동자의 비애

백화점이나 대형할인점의 판매사원은 대부분 입점 업체의 파견직원이다. 즉 백화점이나 할인점의 직원이 아니라 그 제품을 생산하는 제조업체의 직원이 파견 나와 판매를 담당하고 있는 것이다. 물론 이들도 정규직이 아니라 거의 비정규직이다. 비정규직으로 파견근무 하고 있는 이들 판매사원들은 을 중의 을이다. 이들은 백화점의 매출경쟁 압박을 가장 심하게 받는다. 매달 매출순위를 발표하면서 압박하기 때문에 가족의 신용카드로 가(假)매출을 일으키는 경우도 있다. 가매출이지만 다음 달에도 매출실적이 좋지 않으면 환불을 할 수 없어 그 금액은 고스란히 판매직원의 부담으로 돌아온다. 게다가 판매업무만 하는 것도 아니다. 백화점이나 대형할인점에서 시키는 잡일을 해야 하는 경우도 적지 않다. 백화점에서 불경기를 이유로 청소직원을 줄인 다음 매장 청소나 환기구 청소 등을 강제로 할당하는 사례도 있다. 그러면 판매직원은 백화점 측이 시키는 일을 할 수밖에 없다. 그나마 자신의 일자리를 지키려면 어쩔 수 없다고 생각하기 때문이다.

때로는 도를 넘는 고객의 요구나 화풀이를 웃으면서 응대해야 하는 경우도 있다. 부당하게 반품을 요구하는 경우 판매직원이 거절하게 되는데, 성격이 급한 고객들은 화를 내며 무릎 꿇고 사과하라는 등의 부당한 화풀이를 하기도 한다.

기업의 콜센터 직원이나 서비스업종에 종사하는 사람들도 갑의 횡포에 고스란히 노출되어 있는 사람들이다. 콜센터에는 주로 불만을 가진 고객들이 전화를 해온다. 이들은 콜센터 직원에게 모든 화풀이를 한다. 하지만 콜센터 직원들은 이들의 항의가 부당하거나 잘못된 것이라 하더라도 강경하게 대응할 수 없다. 심지어 친절한 목소리로 고객의 화를 달래야 한다. 전화로만 당하는 경우는 그나마 낫다고 해야 할까.

서비스업종에 종사하는 사람들의 애로는 이만저만이 아니다. 휴게소 등에서 주로 판매되는 빵을 생산하는 제과업체 회장은 호텔에 불법 주차된 자신의 차량을 옮겨달라는 호텔 직원에게 반말과 욕설을 퍼부었다가 호되게 당한 적이 있다. 이 제과업체는 SNS를 통해 확산되는 비난 여론을 견디지 못하고 폐업 결정을 내리기도 했다. 하지만 대부분의 경우 서비스업종 종사자들은 일방적으로 당하기만 할 뿐이다. 이들을 우리는 '감정노동자'라고 부른다. 자신의 감정을 드러내거나 표현하지 못한 채 상대방에게 무조건 친절하게, 상냥하게 응대해야 하기 때문이다.

집단소송제, 징벌적 손해배상제가 필요한 이유

왜 이렇게 갑의 횡포가 만연하는 것일까. 크게 두 가지 원인을 지적할 수 있다. 첫째, 경제력이 심각하게 편중되어 있어서 갑의 권력이 지나치게 커졌다는 것, 둘째, 갑의 권력을 적절하게 감시하고 제어할 수 있는 사회적 감시기구나 제도적 장치가 제대로 작동하지 않는다는 것을 들 수 있다.

우리나라의 경제력 편중은 상당히 구조적인 배경을 가지고 있다. 우리나라는 불균형 경제발전 전략을 선택해 수출 대기업을 중심으로 모든 자원을 집중 배분해 왔고, 이를 바탕으로 재벌이 성장해 왔다. 파이를 키우기 위한 방편이었지만 이것이 우리 경제의 '갑의 권력'을 지나치게 키운 역사적 배경이 되고 말았다. 한국 제조업 시장의 매출 출하액 기준으로 독과점 시장은

60%에 이르고, 경쟁적 시장은 40%에 불과하다. 그만큼 한국 사회는 힘의 불균형이 심각하며, 갑은 아무런 불편함 없이 힘을 휘두를 수 있는 상황이다.

갑의 횡포를 적절하게 감시하고 제어하기 위해서는 정부의 기능이 제대로 작동해야 하는데 그러지 못하다는 것도 큰 문제다. 대기업의 횡포를 통제하는 대표적 정부기관은 공정거래위원회다. 그런데 공정거래위원회가 오히려 대기업 편을 든다는 비난을 면치 못하고 있다. 심지어 '불공정거래위원회'라는 별명까지 붙었다. 공정거래위원회는 대기업에 면죄부를 주기 위해 공정거래법을 사용한다는 비판을 더 이상 듣지 않도록 제 역할을 해야 한다.

이렇듯 사회 각 분야에서 벌어지는 불공정한 갑을관계는 집단소송제 도입으로 상당 부분 해결할 수 있다. '남양유업방지법'이라는 이름으로 여야가 발의한 여러 갑을관계 개선 법안은 나름대로 다 일리가 있지만 그 핵심은 집단소송제 도입이다.

갑의 부당한 행위는 대개 불법이다. 불법이란 이야기는 현행 법으로도 제재할 수 있다는 이야기다. 그런데 왜 법이 위력을 발휘하지 못하고 사회적 약자인 을을 보호해 주지 못하는 무용지물로 전락한 것일까? 문제는 법의 도움을 받는 소송의 비용이 너무 크기 때문이다. 피해를 당한 개인이 수천만 원의 비용을 물어가며 2~3년씩 소송을 진행한다는 것이 쉬운 일도 아니고,

소송을 한들 엄청난 수임료를 받고 기업을 변호하는 특급 변호사를 상대로 이기기도 어렵다.

바로 이런 문제를 해결해 줄 수 있는 것이 집단소송제이다. 집단소송제란 집단의 대표당사자가 소송을 수행하고 판결의 효력을 집단이 공유하는 소송제도다. 같은 집단으로 묶을 수 있을 정도로 이해관계가 밀접한 다수의 피해자 중에서 그 집단을 대표하는 대표당사자가 나와서 소송을 수행하고, 판결의 효력이 피해자 전체에 — 별도의 제외신고를 하지 않는 한 — 미치게 하는 집단구제(일괄구제) 제도이다. 불필요한 재판이 많아져 재판 비용이 증가하고, 재판 업무가 지연되는 것 등을 그 단점으로 지적하는 견해도 있지만, 소비자들의 권익을 보호하고 기업의 투명성과 회계의 신뢰성을 고취한다는 장점이 큰 제도다.

미국은 1938년부터 집단소송제를 실시하고 있다. 고엽제 소송, 자궁 내 피임기구 소송, 유방 성형 소송, 석면 소송, 자동차 관련 소송, 담배 소송, 회계법인 어니스트 앤 영에 대한 분식결산책임 소송 등이 대표적인 집단소송들이다. 운용 방식은 나라마다 차이가 있어 독일에서는 개인이 아닌 시민단체만이 소송을 제기할 자격이 있고, 스칸디나비아반도 국가들은 국가가 시민을 대신해 기업이나 정부 부처를 상대로 소송을 제기한다.

집단소송제는 두 가지 측면에서 효력을 발휘한다. 우선은 승소하면 기판력*이 확장된다는 점 때문에 적은 수임료로도 우수

* 기판력 확정판결을 받은 사항에 대해서는 후에 다른 법원에 다시 제소되더라도 이전 재판내용과 모순되는 판단을 할 수 없도록 구속하는 효력.

한 변호사를 선임할 가능성이 높아진다는 점이다. 둘째는 갑의 입장에서 보면 자칫 잘못하다가는 한 사람만 보상하고 끝나지 않고 수백, 수천 명에 대해 동일한 배상을 해야 하기 때문에 엄청난 손실을 보지 않으려면 평소에 조심하게 된다는 점이다. 이런 장점 때문에 다른 선진국에서는 이미 실시하고 있고 새누리당도 2012년 대선과 총선에서 여러 번 공약했던 사항이다.

한국은 2002년 3월부터 증권 분야에 이 제도를 도입하고, 2005년 1월부터 증권 관련 집단소송법을 시행하여 단계적으로 확대해 나가고 있다. 증권 분야에서 집단소송이 적용되는 불법 행위로는 유가증권 신고서 또는 공개매수 신고서 등의 허위 또는 부실 기재, 분기별 보고서나 사(私) 보고서의 허위 또는 부실 기재, 미공개 정보 이용과 시세 조작 등이 해당된다. 분식회계에 대한 집단소송제는 2007년 1월부터 적용되었다. 이런 집단소송제를 모든 갑을 관계로 확대해 나가야 한다.

2013년 4월 국회에서 통과된 징벌적 손해배상 강화법(하도급법 개정안)도 같은 맥락이라고 본다. 징벌적 보상제도는 손해를 끼친 피해에 상응하는 액수만을 보상하는 보상적 손해배상과 달리 '있을 수 없는 반사회적 행위'를 금지하고 그와 유사한 행위가 다시 발생하는 것을 막기 위하여 국가가 처벌의 성격을 띤 손해배상을 부과하는 제도다. 지금까지는 재벌기업이 하청기업의 기술을 탈취하는 데에만 징벌적 손해배상을 적용해 왔지만 모든 불공정행위에 이를 확대 적용하는 것이 옳은 방향이다. 부당한 일을 행했을 때 엄청난 대가를 치러야 한다는 부담을 주는 것만으로도 예방효과가 있기 때문이다.

이런 법과 제도가 제대로 실효성을 발휘할 수 있으려면 무엇보다 상생과 공정에 대한 인식이 제대로 확립되어야 한다. 나만 잘살면 그만이라는 이기주의, 불공정 거래를 통해서라도 수익을 추구하려는 천민자본주의, 물질적인 잣대로 상대방의 인격을 판단하고 무시하는 물질주의 등이 바로 우리 사회를 좀 먹는 해악들이다. 대기업이 잘되려면 납품업체인 중소기업도 건강하고 활기차게 상생해야 한다는 의식, 공정거래를 통해 사업 생태계를 구축하고 선순환이 되도록 노력하는 기업가들의 노력 그리고 각자의 직업에 충실하면서 상대방을 존중할 줄 아는 사회 구성원들이 모두 합쳐져 더 살기 좋은 사회를 만드는 것이다.

골목상권을 살리는 길

대기업의 골목상권 침공

"사자는 배가 부르면 사냥하지 않는다. 배가 부른데도 사냥하는 것은 오직 사람밖에 없다."

일본의 경영의 신이라 불리는 이나모리 가즈오(稻盛和夫)의 이 명언은 빵집, 커피집, 순대, 떡복이, 피자, 치킨까지 싹쓸이로 골목상권을 침공하는 우리 재벌들에게 많은 울림을 주는 말이다.

경제법치 외에 경제민주화의 또 다른 축을 꼽으라면 재벌과 골목상권의 상생이라고 답하고 싶다. 앞서 말한 것처럼 재벌이 지금의 위치에 이르게 된 것은 과거 한정된 자원을 대기업들에게 밀어준 일종의 특혜 덕분이었다. 그런 특혜를 베푼 이유는 세계시장에 나가 세계적 기업들과 경쟁해서 국부를 창출해 오라는 것이었다. 그러므로 지금의 재벌이 사자의 절제를 보여줘야 하는 것이 당연한 귀결 아닐까?

하지만 엄청난 인재들과 막강한 자본력, 유통망을 갖춘 재벌기업들의 골목상권 침공으로 소상공인들은 생존권을 위협받고 있는 것이 지금 우리의 현실이다. 재벌 계열사들인 대형 유통업체들이 SSM(Super Supermarket, 기업형 슈퍼마켓)으로 골목상권을 잠식하다가 여론의 비난에 부딪히고 정부로부터 출점 및 영업일수 규제 등을 받고 주춤하는가 싶더니 또다시 골목상권을 위협하고 있다. 법과 규제를 피하는 교묘한 방식으로 이른바 '변종 SSM'으로 불리는 '상품공급점'을 통해 다시 골목으로 진출하고 있기 때문이다. 상품공급점은 변형된 편의점의 형태로 사실상 SSM이나 마찬가지다.

편의점은 점포 간 거리제한 규제 대상일 뿐 의무휴업에서는 제외된다는 점을 악용해 H사는 2011년 12월 서울 대치동에 직영 모델숍 1호점을 여는 등 편의점 가맹사업을 본격화하고 있다. 이 직영 모델숍은 점포 면적이 약 130㎡ 내외로 통계청 표준산업분류에 명시된 슈퍼마켓 면적(165~3000㎡)보다 작고, 영업시간도 24시간 편의점과 같다. 그러나 신선식품 비중이 20%대로 1%인 편의점보다 월등히 높은 데다 가격도 대형할인점 수준으로 낮춰 판매하고 있다. 이 직영 모델숍을 둘러싼 '변종 SSM 논란'이 끊이지 않는 이유가 여기에 있다. 2013년 12월 기준으로 이 직영 모델숍은 현재 23개 점포가 운영 중이다.

L사는 SSM 규제가 한창이던 2009년에 편의점과 슈퍼마켓의 중간 형태인 새로운 점포를 시작했다. 주로 가공식품을 판매하는 일반 편의점과는 달리 이 점포에서도 H사의 직영 모델숍처럼 신선식품을 판매한다. 사실상 미니 SSM이다. 하지만 개점 시 들어가는 비용의 51% 이상을 본사가 부담할 때에만 사업조정 신청 대상이 된다는 점을 악용해 가맹점주의 투자 비율을 높여 상생법의 규제 그물망을 교묘하게 피해나갔다. SSM 점포 확장이 여의치 않아지자 L사 측이 고안해 낸 '꼼수'라는 지적이 일고 있는 이유다.

한계에 내몰린 골목상권

중소기업중앙회가 2013년 11월 15일부터 열흘간 상품공급점 반경 1㎞ 이내의 중소 슈퍼마켓 300개사를 대상으로 경영실태를 조사한 결과 69.4%가 매출이 감소한 것으로 응답했다. 이 중 25.7%는 매출이 '30% 이상 감소'했다고 답했고, '10~20% 감소'가 18%, '20~30% 감소'가 13.7%로 나타났다. '5~10% 감소'는 12%, '거의 변동 없음'은 29.3%였다. 상품공급점 주변의 중소 슈퍼마켓 10곳 중 7곳의 매출이 감소한 것이다.

중소 슈퍼마켓의 매출이 하락한 가장 큰 원인은 상품공급점 상품이 일반 슈퍼마켓보다 10% 이상 저렴하기 때문이다. 조사 결과 상품공급점의 절반 이상인 54%가 주변 슈퍼마켓보다 평균 13.4% 저렴하게 상품을 판매하고 있었다. 상품공급점 중 주변 슈퍼마켓보다 가격이 비싼 경우는 8.7%에 그쳤다.

상품공급점을 찾는 소비자가 늘면서 일반 슈퍼마켓을 상품공급점으로 전환하는 곳도 적지 않았다. 상품공급점 중 신규 입점이 57%로 가장 많았지만 기존 점포에서 전환한 곳도 38.3%나 됐다. 특히 상품공급점으로 전환한 매장 중 대형할인점 간판으로 바꿔 단 곳은 전체의 96.6%였고 기존 간판을 유지한 곳은 3.3%뿐이었다.

상품공급점은 사실상 SSM이면서도 별다른 규제를 받지 않고 있다. E사나 H사 등 대형할인점으로부터 상품을 공급받은 개인사업자들이 운영하기 때문에 SSM과 달리 영업시간이나 신규 점포 진출 등의 제한을 받지 않는다. 반면 대형유통업체의 상호나 로고를 사용할 수 있고 매장 구성이나 운영 방식, 판매 직원의 옷차림까지 대형유통업체와 같아 사실상 SSM과 다르지 않다.

그럼에도 불구하고 대형 유통업체에 대한 각종 규제를 피해

갈 수 있는 것은 '개인슈퍼마켓'으로 인정받고 있기 때문이다. C유통의 임의가맹점인 H마트와 대기업 계열사 L사 간의 인수합병 당시 공정거래위원회는 L사와 C유통의 기업결합 심사에서 H마트가 SSM이 아닌 개인슈퍼마켓이라고 판단했다. 그러면서 L사가 2016년 12월 31일까지 H마트 점주의 의사에 반해 거래계약 내용을 변경하거나 H마트의 상호를 L사의 상호가 포함된 상호로 변경하지 못하도록 했다.

L사는 공정거래위원회의 이런 결정을 속으로는 반가워했을 것이다. H마트의 상호를 변경하지 않는 대신 SSM으로서의 규제를 받지 않기 때문에 H마트의 상호를 이용해 자신들의 가맹점 수를 마음대로 늘릴 수 있기 때문이다.

임의가맹점은 공동 브랜드를 사용하지만 개인사업자가 판매가격과 판매상품을 독자적으로 결정하고 일정 기간이 지나면 위약금 없이 언제든지 탈퇴할 수 있는 형태의 점포를 말한다. 또한 대형할인점과 SSM이 적용받는 월 2회 의무휴업, 자정~오전 10시 영업시간 제한 등의 규제를 받지 않고 있다.

결국 골목상권의 소상공인들은 '사실상 별다른 규제를 받지 않는 대기업의 SSM'과 경쟁해야 하는 상황에 놓인 것이다.

대형할인점의 창고형 할인매장 전환도 급속히 늘고 있다. 예전에는 외국계 코스트코가 유일한 창고형 매장이었지만 E사가 지금까지 19개 매장을 운영하고 있다. L사 또한 2012년 이후 할

인매장을 6개로 늘리고 있다. 이러한 창고형 할인매장은 사업자를 도매업으로 등록함으로써 유통산업발전법상 대규모 점포의 규제를 피할 수 있기 때문에 또 다른 '꼼수 영업'이라고 지적을 받고 있다.

건강 · 미용 용품을 취급하던 드럭스토어 역시 골목상권의 몰락을 가속화하는 주범으로 떠오르고 있다. 이들 드럭스토어는 일반 식용품까지 판매하는 사례가 늘어나면서 골목상권의 소상공인들의 매출 하락에 영향을 주고 있는 것이다. 2010년 이후 급속하게 확산된 드럭스토어는 2010년 187개, 2011년 272개, 2012년 465개, 2013년 8월 말 현재 474개로 늘어났다.

특히 더 많은 대기업 계열사들이 드럭스토어 사업에 가세함으로써 확장세가 더욱 가속화될 것으로 예상된다.

꼼수를 막아라

기존 규제수단을 무력화하고 법제도의 사각지대를 악용하는 상품공급점, 창고형 할인매장, 드럭스토어의 무분별한 확장을 막기 위해서는 이러한 대형 유통업체의 골목 진출을 제한해야 한다는 것이 소상공인들의 한결 같은 목소리다.

사업조정제도를 실효성 있게 운영해 달라는 요구도 빗발치고 있다. 사업조정제도는 중소기업의 심각한 경영상 피해를 막기 위해 일정 기간 대기업의 사업 인수 · 개시 · 확장 유예 또는 사업 축소를 대 · 중소기업이 자율적으로 합의토록 정부가 중재하는 제도다. 우선 자율합의를 진행하고 실패할 경우 정부가 조정 권고를 내리게 된다.

현재 대형 유통업체와 소상공인 사이의 갈등은 사업조정 신청으로 나타나고 있다. 중소기업청 자료에 따르면 SSM 입점과 관련, 최근 4년간 중소상공인들이 중소기업청에 신청한 사업조정 신청 건수는 줄어든 반면, 대형할인점 · 할인점 등 기타 업종 입점과 관련된 사업조정 신청 건수는 늘고 있다. 이는 SSM에 대한 정부의 규제가 강화되자 대기업 유통업체들이 대형할인점 혹은 할인점 개점 등 규제를 피할 수 있는 방법을 찾아 골목으로 진출하고 있기 때문이다. 정부나 지방자치단체는 사업조정 신청이 신속하게 처리되고, 특히 소상공인들의 어려움이 실효성 있게 해소될 수 있도록 노력해야 한다.

또한 현재 대형 유통업체들의 편법행위에 대해 신속하게 대처할 필요가 있다. 골목상권의 소상인들은 매출 하락을 버틸 수 있는 여력이 크지 않기 때문이다. 그러나 정부가 아무리 법과 규제를 잘 만들어도 대기업이 그 법망과 규제를 피하는 편법을 끊임없이 만들어낸다면 상생의 경제를 실현하는 것은 어려운 일이 될 것이다. 무엇보다 골목상권의 소상공인들의 생존권까지 빼앗는 재벌의 골목상권 잠식 문제는 재벌의 인식이 전환되지 않고는 해결되기 어렵다. 상생하지 않는다면 대기업에게도 미래는 없다는 것을 잊지 말아야 한다.

문화계의 선순환 생태계

음원 유통사만 이익을 챙기는 구조

"이슬만 먹고 살 수는 없어/ 일주일에 단 하루만/ 고기 반찬 먹게 해줘."

인디 가수 '달빛역전만루홈런'(본명 이진원)은 어려운 인디 음악계 현실을 담은 이 노래를 남기고 2010년 11월 세상을 떠났다. 당시에는 네티즌의 관심을 불러일으켜 대중음악계의 왜곡된 구조를 고쳐야 한다는 목소리가 높았지만 시간이 지나면서 다시 무관심의 사각지대로 남아 있다. 지금 한국 대중음악계는 디지털 음악 유통시장 구조의 왜곡으로 음악을 만드는 뮤지션은 가난과 추위에서 벗어나지 못하고 있다.

이제 우리나라는 경제발전뿐만 아니라 문화발전에도 노력을 기울여야 할 때가 되었다. 1945년 일제 강점기에서 벗어났지만 1950년 전쟁을 치러야 했던 나라, 1950년대 지구상 가장 가난한 나라 중 하나에서 2013년 13대 경제대국으로 성장한 나라. 우리가 이룬 경제발전의 성과는 눈부시다. 자부심을 가질 만하다. 하지만 이제는 경제성장에 초점을 맞추어서는 안 된다. '공정한 경제'를 실현해 진정한 선진국으로 도약해야 할 때다.

이를 위해서는 문화발전도 매우 중요하다. 이미 우리는 전 세계 시장에 한류의 바람을 내보내고 있다. 드라마, K팝, 영화 등 각종 문화 장르에서 상당한 성과를 올리고 있는 것도 사실이다. 하지만 이런 문화발전의 이면에서는 산업화시대의 후진성이 여전히 문화계의 발전을 저해하고 있다.

가수 싸이의 뮤직비디오가 전 세계를 강타하고 K팝이 아시아 시장뿐만 아니라 유럽 시장까지 넘보고 있는 2013년에도 한국 대중음악계는 빈곤과 무관심의 벽을 넘지 못하는 수많은 뮤지션들이 존재하고 있다.

이러한 구조적 문제를 타개해 보고자 음악 관계자들이 노력하고는 있지만 변화를 일으키기가 쉽지 않다. 한국독립음악제작자협회(KIMA), 한국음악레이블산업협회, 서교음악자치회(Seokyo Music), 한국힙합뮤지션연합 등 110개 회사 및 단체는

2012년 '음악생산자연대'를 결성하고, 유통 구조 변화를 요청해 왔다. 지금 대중음악 시장의 구조는 '갑'인 음원 유통사나 통신사, 유명 가수와 거대 제작사 등 소수를 제외하고는 대부분의 음악인들을 '을 중의 을'로 전락시키며 생존조차 어렵게 만들고 있다.

국내 음악 시장의 가격 구조는 심각하게 왜곡되어 있다. 2012년 10월 새누리당 경실모가 공개한 음원 단가 실태자료를 보면 국내에서 노래 한 곡이 다운로드되는 최저 가격은 63원으로 집계되었다. 미국 791원, 캐나다 804원, 영국 1064원, 호주 1387원, 일본 2237원에 비하면 그야말로 형편없는 수준이다.

수익 배분율도 기형적이다. 미국은 유통사가 30%를 가져가지만, 국내에서는 40~57.5%를 챙긴다. 유통사는 음악을 직접 생산하지도 않으면서 수익의 절반 이상을 가져가는 것이다. 철저하게 갑의 이익만을 챙기는 구조다. 게다가 3000원만 내면 무제한으로 음악을 듣게 했던 무한 '스트리밍'은 국내 음악계 구조를 파행적으로 만들었다. 2013년 초 문화체육관광부가 스트리밍 상품 가격을 2배 가까이 올리고, 스트리밍 분야에 점진적인 종량제를 유도하기로 했지만 이것만으로는 근원적인 해결책이 되지 못한다.

가수들도 이런 왜곡된 구조에 대해 저항해 보지만 역부족이다. 중견 밴드 '봄여름가을겨울'은 자신들이 지금껏 발표한 모든 노래의 온라인 음원 유통을 1년 정도 중단한 바 있다. "헐값에 팔리는 음악, 걸핏하면 덤핑으로 넘겨버리는 유통 구조에 그런 식으로나마 항의하고 싶었다"는 것이 이유였다. 밴드 '장기하와 얼굴들'은 2013년 3월 서울 여의도에서 '백지수표 프로젝트'를 벌였다. 음원 가격과 구조의 불합리성에 대해 나름대로 항의하는 의미로 소비자들이 알아서 음원 값을 내달라며 벌였던 이벤트였다.

국내 음원 유통시장은 대부분 대기업 계열사들이 장악하고 있다. 국내 음원 시장의 지배적 사업자는 음악 사이트 '멜론'이다. 멜론을 운영하는 로엔엔터테인먼트는 이동통신사 SK텔레콤의 손자회사다. '올레뮤직'은 KT의 계열사인 KT뮤직이 보유하고 있다. 시장의 20~25%를 차지하는 '엠넷'은 CJ E&M 소유다.

1990년대 이동통신 사업 초기에 데이터 사용을 늘리기 위해 음원 가격을 대폭 낮췄는데 그게 지금까지 유지되고 있다. 이렇게 저렴한 음원 가격 정책은 이동통신사에는 매우 유리하게 작용한다. 가입자를 더 많이 유치할 수 있기 때문이다. 하지만 정작 음악을 작곡하고 연주하는 뮤지션들은 별 이득을 얻지 못한다. 오히려 음악을 생산하는 데 드는 비용조차 감당하지 못해 생존의 위협을 받고 있는 것이다. 예술적 가치를 창조하는 사람들은 생존도 보장이 안 되는 한계상황으로 내몰리게 하고, 예술작품을 유통하는 재벌기업은 막대한 이익을 누린다면 과연 바람직한 것인가?

'갑 중의 갑'은 방송사?

드라마 산업의 먹이사슬은 방송사-외주제작사-연기자로 연결된다. 이 먹이사슬에서 예외적인 경우는 드라마를 크게 히트시킨 전력이 있는 인기작가 그리고 드라마의 시청률과 직결되는 인기스타들이다. 이들은 먹이사슬의 갑을관계에서 벗어나 나름대로의 힘과 영향력을 행사할 수 있다. 하지만 대부분의 제작사들과 연기자들, 그중에서도 엑스트라들은 열악한 환경에서 최소한의 생계비조차 확보하지 못한 채 힘들게 연명하는 경우가 많다.

방송사로부터 드라마 제작을 주문받는 외주제작사는 그야말로 을이라는 것이 중론이다. 이들이 방송사로부터 제작비를 제대로 받기란 매우 힘들다고 한다. 방송사는 각종 부당한 취재지시에서 접대 요구에 이르기까지 제작사를 괴롭힌다고 알려져 있다. 심지어 드라마 제작을 진행하던 도중에 일방적으로 제작을 취소해 큰 경제적 손실을 입히기도 한다. 하지만 제작사 입장에서는 방송사로부터 일을 받지 못하는 데 대한 두려움으로 쉽게 항의를 할 수가 없다.

방송사는 외주제작사 선택에서부터 실제 프로그램 제작 과정에 이르기까지 모든 과정에 간여한다. 방송사는 편성권, 캐스팅권, 저작권 등을 가지며 프로그램 거래 가격을 일방적으로 정하고, 저작권을 근거 없이 가져가기도 한다.

방송사의 외주제작 편성비율은 1993년 3%였던 것이 현재는 방송법에 따라 자회사의 외주제작 프로그램을 납품받는 지상파 방송사는 매월 방송시간의 33% 이상을, 자회사 외주제작이 없는 지상파 방송사는 28% 이상을 외주제작 프로그램으로 편성해야 한다고 한다.

외주제작 비율이 늘어나면서 납품 제작사 수도 폭증했다. 교양 프로그램 제작사 협의체인 독립제작사협회에 140개사, 한국드라마제작사협회에 24개사가 속해 있다. 여기 속하지 않고 개인적으로 활동하는 경우를 포함하면 제작사의 수는 더 늘어난다.

이렇게 외주제작사가 늘어났음에도 불구하고 지상파 방송사는 그대로다. 당연히 과당경쟁이 일어날 수밖에 없다. 그러다보니 방송사의 절대 갑으로서의 위치는 점점 더 공고해지고 있다.

방송사는 외주제작사를 대상으로 부당한 요구도 많이 하고 있다고 보도되고 있다. 2012년 독립제작사협회에 따르면 종편방송사들이 계약 없이 제작을 하게 한 후 제작비를 일방적으로 삭감하고 편성을 수시로 바꾸는 일이 적지 않았다고 한다. 이들은 종편방송사가 협찬금을 불공정하게 배분하고 외주사 프로그램 형식을 무단으로 쓰는 등 횡포를 일삼고 있다고 공개했다.

이 밖에도 방송사 출신이 차린 제작사가 만든 드라마가 우선적으로 편성되는 경우도 있었다. 또 방송사가 시청률을 올리기 위해 편성을 조건으로 스타 배우를 캐스팅하도록 요구하는 일이 적지 않은데, 이 요구에 따르자면 제작비의 상당 부분을 배우에게 지급해야 하므로 제작사 입장에서는 적자를 볼 수도 있다. 방송사가 외주제작사에 부실을 떠넘기는 경우도 있는데 이렇게 되면 연기자나 제작진에게 임금을 지급하지 못하는 불상사도 생긴다. 드라마와 배우의 해외 진출은 더욱 활발해지고 있지만 그것은 일부 소수의 일일 뿐 전반적인 드라마 제작 환경은 여전히 열악하다.

이혜훈이 만난 사람

장혜진·강승호

다양성이 살아갈 수 있는 세상

따뜻한 경제

이혜훈 우리 사회에 갑을관계가 큰 문제가 되고 있는데요, 문화계도 예외는 아니라고 생각합니다.

장혜진 우리나라 문화계, 특히 음악계가 서구 선진국이나 일본처럼 선진화하려면 첫째 인식이 바뀌어야 하고요, 둘째 시스템이 바뀌어야 한다고 생각합니다. 인식이 바뀌어야 한다는 부분은 바로 음악에 대한 편견이 없어져야 한다는 것입니다. 선진국을 보면 음악을 즐기는 방법이나 취향 등에 있어서 세대 차이가 크게 나지 않아요. 할아버지 세대와 손자 세대가 같은 음악을 좋아하고 즐기는 경우가 많거든요. 그런데 우리나라는 언제부터인가 어른들이 좋아하는 음악과 아이들이 좋아하는 음악이 분리되는 경향이 생겼어요. 아이돌이 부르는 노래가 대중음악계의 중심 또는 주류를 차지해 버리고 그 외의 음악은 설 곳을 잃어버리는 식이죠. 아이돌 가수들이 한 역할이나 가지고 있는 음악세계 이런 것들을 충분히 인정하고 격려하지만 대중음악계를 지배하는 것은 곤란하다는 것입니다. 아이돌 가수가 어떤 영역을 차지하는 만큼, 재즈 가수, 발라드 가수, 트로트 가수 등 다양한 영역의 가수들 또한 각자 자기 고유한 장르에서 대중과 소통할 수 있어야 한다는 것입니다. 유학 시절에도 느꼈지만 미국 같은 경우에는 남녀노소 불문하고 다 좋아하는 음악들이 항상 있었어요. 그래서 할아버지 세대부터 손자 세대까지 3대가 같이 음악을 즐기러 다니는 것을 참 많이 봤거든요.

우리나라에서는 그나마 『나는 가수다』라는 프로그램을 통해 부모 세대와 자식 세대가 공유할 수 있고 소통할 수 있는 뭔가가 마련이 되었다고 봐요. 그 프로그램을 통해 좀더 대중음악계가 변화할 수 있기를 바랐어요. 기대했던 만큼은 안 된 것 같지만 그래도 전반적인 인식은 좀 많이 바뀐 것 같아요. 어른들이 봤을 때 '아이돌 가수라고 해서 노래를 못하는 것은 아니구나' 하고, 10대나 자식 세대가 봤을 때 '부모 세대가 좋아했던 음악 중에 나도 좋아할 수 있는 음악들이 있구나' 하는 인식을 갖게 해주었던 것 같아요.

이혜훈 인식의 변화와 함께 시스템의 변화를 말씀해 주셨는데, 좀 더 구체적으로 말씀해 주시죠.

장혜진 방송이나 공연 등에 있어서 가수, 작사자, 작곡자, 연주자들에 대해서 정당한 대가를 치르는 시스템이 정착되었으면 합니다. 방송을 봐도 우리나라만큼 가수에 대한 대우가 제대로 이루어

아이돌 가수가 어떤 영역을 차지하는 만큼,
재즈 가수, 발라드 가수, 트로트 가수 등
다양한 영역의 가수들 또한 각자 자기 고유한
장르에서 대중과 소통할 수 있어야 한다는 것입니다.

지지 않는 경우는 드물다고 할 수 있습니다.

강승호 많은 분들이 가수가 TV에 출연하면 돈을 벌겠구나 하고 생각합니다. 사실은 그렇지가 않습니다. 원로 가수의 TV 출연료가 10만~100만 원이에요. 1998년 외환위기 때 출연료 줄여놓고 지금까지 올려주지 않았어요. 연기자들은 다 올랐거든요. 우리나라처럼 매 주말마다 가요 프로그램을 방영하면서 가수를 10팀 넘게 출연시키는 나라가 거의 없어요. 가수를 출연시키는 데 돈이 많이 들기 때문이죠. 일본 같은 데서는 가수를 그렇게 많이 불러서 특집하려면 6개월에서 1년 걸려요. 일정 맞추기도 어렵고, 출연료도 어마어마하거든요. 그런데 우리나라에서는 그렇게 인기 있고 잘나간다는 아이돌 그룹도 출연료가 70만 원 정도입니다. 그런데 아이돌 그룹이 출연하는 데 들어가는 경비는 얼마인지 아세요? 메이크업, 의상, 식비, 매니저, 교통 등등 아이돌 가수 한 명당 약 300만 원 들어가요. 한 명이 그러니까 그룹 전체로 계산하면 최소 1000만 원은 들어간다고 봐야 됩니다. 그러니 방송 출연만으로는 완전 적자라는 얘기죠. 그러면 음반 판매나 공연으로라도 돈을 벌 수 있어야 하는데 그것도 어렵습니다. 그래서 이런 적자를 메우려면 광고모델이 되어야 합니다. 가수가 방송 출연, 공연, 음반으로 돈을 제대로 못 벌고 광고모델이 되어야 돈을 번다면 이게 제대로 된 것이라고 할 수 없겠지요. 그러다보니 기획사는 투자원금을 회수하기 위해 소속 가수들과 장기 계약을 하게 되고, 이런 과정에서 분쟁도 생기고 그런 겁니다. 사실 많은 분들이 연예인과 기획사의 계약을 '노예계약'이라고 생각하시고 기획사가 부당한 이익을 취한다고 생각하시는데, 내용을 들여다보면 이런 구조적인 문제가 있습니다. 만약 가수들이 방송 출연이나 공연으로 충분한 보상을 받는다면 기획사와 가수의 계약조건도 달라질 수 있을 거라고 생각합니다.

이혜훈 가수 입장에서 어려운 건 어떤 게 있으세요?

장혜진 출연 자체가 굉장히 어렵다는 게 문제입니다. 음악 관련 TV 프로그램이 그다지 많지 않거든요. 또 한 프로그램에 너무 많은 사람을 집어넣고 하기 때문에 어렵게 출연해도 희소가치가 없기도 하고요. 그런데다 대체로 공짜 공연을 하고요.

이혜훈 공짜 공연도 해야 돼요?

장혜진 『열린음악회』 같은 걸 하면 다들 방청권 받아서 오지 돈 내고 오지는 않아요. 공연을 보러 가면서 돈을 지불해야 한다는 생각을 하지 않아요. 너무 당연하게 공짜 공연을 보러 오는 거예요. 외국에서는 그런 방송이 많지가 않아요. 뮤지션의 공연을 보려면 대가를 지불하는 것이 당연하죠. 그렇기 때문에 공연이 활성화될 수 있어요. 일본만 해도 앨범을 한 번 내면, 이 앨범으로 전국을 돌 수 있어요. 공연에 가야만 이 뮤지션을 볼 수 있으니까 사람들이 공연장에 오거든요. 그렇기 때문에 뮤지션들이 먹고살 수 있죠.

이혜훈 우리나라는 인터넷에서 음악을 무제한으로 들을 수 있다는 것도 문제죠.

강승호 음악 저작권 문제가 나오면 두 가지 입장이 대립됩니다. 한쪽에서는 더 많은 사람들이 음악을 듣고 즐길 수 있는 '보편타당한 망라적 서비스를 해야 한다'고 주장합니다. 또 한쪽에서는 '저작권을 보호해 줘야 더 좋은 작품이 계속 나올 수 있다'고 합니다. 저희가 음악을 무제한으로 스트리밍하는 인터넷 사이트를 정비해 달라고 요구하면 '망라적 서비스'라는 얘기를 하면서 정비를 안 해줍니다.

우리나라는 인터넷에서
음악을 무제한으로
들을 수 있다는 것도 문제죠.

이혜훈 그게 참 딜레마예요. 스트리밍을 아예 비싸게 받으면 사람들이 많이 안 듣게 될 수도 있으니까 그 곡의 노출 기회가 줄어드는 면도 있을 거고…. 절묘한 균형점을 찾는 게 중요한 것 같습니다.

강승호 그래서 저희가 생각해 낸 것이 포인트를 활용하는 거예요. 신용카드 포인트를 음악을 살 때 사용할 수 있도록 해주는 거죠. OK캐시백, BC카드 탑포인트, 대한항공 마일리지, 현대카드 M포인트 등 온갖 종류의 포인트가 있습니다. 사람들이 이런 포인트를 제대로 활용하지 않아요. 이렇게 사장되는 포인트만 해도 엄청날 겁니다. 몰라서 못 쓰고, 알아도 유효기간 지나서 못 쓰는 포인트가 얼마나 많은데요. 이런 포인트를 문화 쪽으로 열어달라는 겁니다. 그런 신용카드 포인트를 자녀들에게 주면, 그 애들이 음악 듣고 영화 보고 책 살 거 아닙니까?

이혜훈 그것 참 좋은 생각인 것 같습니다. 그런데 왜 받아들여지지

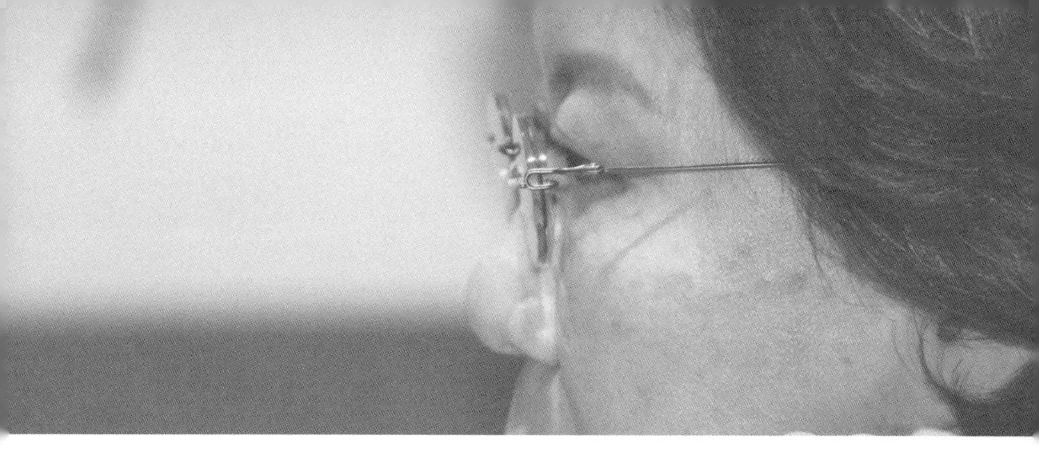

않는 걸까요?

강승호 각 기업들이 자기네 매출을 위해 사용되어야 한다고 생각하는 것 같습니다. 예를 들면 OK캐시백은 자기네들이랑 제휴 맺은 곳을 위해서만, 대한항공 마일리지도 대한항공을 위해서만 쓰라는 거죠.

이혜훈 최근에 문화체육관광부가 음악 사이트 요금제에 대해 굉장히 경직적인 정액제로 있다가 종량제와 정액제가 조금씩 섞인 개념의 가격제로 유도하기로 했죠. 그러니까 과거보다 조금은 나아졌죠?

강승호 조금 나아졌죠. 그런데 우리가 피부로 느끼려면 2년 정도는 지나야 할 것 같습니다.

이혜훈 소비자 입장에서는 음악을 많이, 싸게 들을 수 있게 해줬으면 좋겠다는 욕구가 또 있는 거고, 특히 젊은 층이 그런 욕구가 강하잖아요. 그러니까 이 욕구를 또 어느 정도는 충족해 줘야 된다는 게 있고, 또 한편으로는 예술 하시는 분들의 창작에 대해 정당한 보상이 이루어져야 하는 거고요. 그런데 지금은 예술 하시는 분들의 창작 노력에 대한 정당한 보상이 상당히 외면되고 있는 것 같습니다.

장혜진 그리고 설 자리도 사실은 그렇게 많지가 않아요.

강승호 우리나라도 세계 4대 음반시장이었을 때가 있었어요. 인구는 4000만 명밖에 안 되는데 음반이 100만 장, 200만 장 팔리니까 영국이나 미국 음반회사 관계자들이 깜짝 놀랐어요. 그래서 글로벌 음반회사들이 우리나라에 다 들어왔어요. 그런데 지금은 거의 다 나갔지 않습니까?

신용카드 포인트를 자녀들에게 주면,
그 애들이 음악 듣고 영화 보고
책 살 거 아닙니까?

이혜훈 우리도 한동안 팝송 많이 들었죠.

장혜진 그랬는데 이제는 팝을 안 들어요.

강승호 일본 시장은 아직까지도 다른 나라의 대중음악을 듣는 계층이 있어서 음반이 팔립니다. 그러니까 글로벌 음반회사들이 일본에는 그대로 있어요.

이혜훈 그래도 역설적으로 우리 시장에서는 도저히 돈 벌이가 안 되니까 해외시장으로 진출하려는 노력을 기울였고 그랬기 때문에 오늘날 K팝이나 한류가 생겨난 것은 아닌가 하는 생각도 듭니다.

강승호 역설적으로 보면 그렇게 된 면도 있죠.

장혜진 한편으로는 걱정인 게 언제까지 이 아이돌 시장이 해외에

서 사랑을 받을지 걱정이에요. 지금 아이돌로 활동하고 있는 친구들도 당연히 나이를 먹을 텐데 나이 먹어서도 계속 사랑을 받을 수 있을지, 그러자면 무엇이 필요할지 이런 것들이 계속 걱정인데요. 계속 굉장한 아이돌이 나올 수 있을지는 모르는 일이잖아요.

해외시장 진출도 좋고 한류도 좋지만 우리나라의 음악 시장이 정상화되어야 지속 가능하다고 봅니다. 가장 중요한 것은 공연문화가 정상화되었으면 합니다. 지금까지 공짜 공연이 많았기 때문에 일반 사람들은 공짜 공연을 기대하는 경향이 많은데 앞으로는 꼭 바뀌었으면 합니다. 외국 같은 경우에는 전국 투어를 하면 1년 이상은 먹고 살 수 있을 만큼의, 스태프를 비롯한 투어 식구들까지 돈을 벌 수 있는 그런 기회가 되는데 우리는 어렵죠. 그렇게 할 수 있는 가수가 손에 꼽을 정도죠.

가수도 가수지만 연주자들, 거기에 따른 세션, 음향, 그 외 모든 스태프들, 기획도 마찬가지고, 이런 분들에 대한 대우도 열악한 편이에요. 공연은 해놓고 돈을 못 주는 경우도 있거든요. 뮤지컬에서

홍대 앞의 인디밴드들도 자기 영역을 가지고 음악 활동 할 수 있고,
아이돌 그룹도 자기 영역을 가지고 공연하고 해외 진출도 하고,
그런 다양성이 존재하고 그런 다양한 음악을 좋아해 주는 팬들이
다양하게 존재하고…. 그런 세상이 왔으면 좋겠어요.

도 그런 경우를 많이 봤어요. 뮤지컬 같은 경우에는 요즘 유명한 가수나 탤런트를 주연 배우로 해야 흥행을 하잖아요. 해외에서는 전문 뮤지컬 배우가 많은데 우리는 뮤지컬 배우로 성공할 수 있는 기회가 많지 않기 때문에 굉장히 힘들어요.

공연장 문제도 심각해요. 수도 아주 적은 데다가 잘 빌려주지도 않거든요. 특히 대중음악 하는 사람들에게는 대관을 해주지 않으려는 경향이 있어요. 그래서 주로 체육관 빌려서 하게 되는 거예요. 그런데 체육관엔 음향시설이 제대로 안 되어 있어 그걸 다 갖춰야 하니까 공연하려면 돈이 훨씬 많이 들어갑니다. 외국은 호텔마다 공연 시설이 갖춰져 있는 공연장이 다 있거든요. 싱가포르만 해도 그런 호텔이 5개인가 있어요. 그런데 우리는 하나도 없어요.

이혜훈 그 작은 나라에도 그렇게 많군요.

장혜진 싱가포르는 공연이든 세계적인 포럼이든 다 개최할 수 있

저는 우리나라가 선진국으로
가기 위해서는 모든 분야에서
공정한 룰이 적용되고
지켜져야 한다고 생각해요.

는 호텔들의 시설 때문에 몇 년째 관광 사업으로 굉장히 크게 벌어들이고 있다고 들었어요. 왜 우리는 그렇게 못 하는지 모르겠어요. 해외에서 우리나라 아이돌들을 좋아한다고 왜 우리가 나가야 되죠? 그들이 들어오면 더 좋잖아요. 와서 우리나라에서 돈 쓰게 해야 되는 게 맞잖아요. 그런데 지금 아이돌이 공연할 수 있는 곳이 올림픽경기장, 체조경기장 같은 체육시설밖에 없는 거예요. 아까도 말했지만 이런 시설은 음향 시설은 고사하고 음향에 대한 고려가 전혀 되어 있지 않아요. 그렇기 때문에 소리가 부딪혀서 들려오거든요. 그래서 정말 좋은 사운드에 좋은 공연을 보여주기가 어려운 거예요.

이혜훈 음원 유통사와의 협력관계는 잘 형성되어 있나요? 예전에 음반사가 있을 때하고는 좀 달라졌지요?

강승호 대중음악계로 보면 옛날에는 음반사가 유통사였는데 이제

는 음원 사이트가 유통사예요. 음반을 만드는 제작자나 뮤지션 입장에서는 굉장히 어려운 게 음반이 잘 안 되면 그대로 빚을 져야 한다는 겁니다. 음반 제작 과정을 예로 들어서 말씀드리겠습니다. 음반을 제작하려면 돈이 들잖아요. 특히 신인들 같은 경우 돈도 없고 지명도도 낮으니까 조건이 나쁩니다. 그런 경우 대개 유통사에서 돈을 빌립니다. 음반 만드는 데 적게는 수천만 원, 많게는 수십억 원도 들어요. 예를 들어 1억 원을 빌려서 음반을 만들었다고 칩시다. 그러면 유통사에서 신인에게는 30%의 유통 수수료를 매깁니다. 그러니까 1억 원을 빌리면 1억 3000만 원을 갚아야 되는 거예요. 그런데 그걸 40%까지 올리려고 하고 있어요. 하여튼 그러니까 1억 원을 빌려서 음반을 내면 1억 3000만 원을 벌어야 적자를 면하는 겁니다. 결과가 좋아서 히트를 쳤어요. 그래서 1억 3000만 원 갚고도 3000만~4000만 원 벌었어요. 그다음에 곡을 내려면 또 돈을 빌려야 됩니다. 다음에 돈을 빌리지 않고 음반을 낼 수 있을 정도가 되려면 억대를 벌어야 되거든요. 그런데 현실적으로 그 정도로 수익이 나기가 어려워요. 다음 음반이 히트를 못 쳤다, 그러면 금방 빚더미 위에 앉는 겁니다.

장혜진 음악을 하는 사람들이 생존하기가 무척 어려운 환경이에요. 공연을 해서 돈을 벌 수도 없고, 음반을 만들어서 수익을 내기도 힘들고, 오히려 빚을 질 가능성이 높아요. 결국 대형 기획사가 철저하게 기획해서 만들어낸 아이돌 그룹이 광고모델 하고, 해외 진출 하고 해서 수익을 내는 모양이 되는 겁니다. 문제는 모든 기획사가 그럴 수 있는 게 아니고 극소수의 대형 기획사만 가능하다는 거지요. 좋은 음악 만들어내면 음원과 공연으로 생계를 유지할 수 있는 사회가 되면 좋겠어요. 좋아하는 음악도 다양해지면 좋겠고요. 홍대 앞의 인디밴드들도 자기 영역을 가지고 음악 활동 할 수 있고, 아이돌 그룹도 자기 영역을 가지고 공연하고 해외 진출도 하고, 그런 다양성이 존재하고 그런 다양한 음악을 좋아해 주는 팬들이 다양하게 존재하고…. 그런 세상이 오면 좋겠어요.

이혜훈 저는 우리나라가 선진국으로 가기 위해서는 모든 분야에서 공정한 룰이 적용되고 지켜져야 한다고 생각해요. 문화계도 마찬가지죠. 누군가가 좋은 음악을 만들어냈다면 그것을 향유하는 계층이 있어야 하고, 그것을 향유하기 위해서는 적절한 비용을 지불하는 것에 대해 당연하다고 생각하는, 그런 인식이 확산되어 있는 사회가 되어야겠지요. 그런 사회를 만들기 위해 최선을 다하겠습니다.

장혜진 대한민국의 대중음악 가수로 1991년 1집 앨범 『꿈속에선 언제나』로 가요계에 데뷔한 후, 「키 작은 하늘」「내게로」「1994년 어느 늦은 밤」 등 수많은 히트곡을 발표하였다. 현재 한양여자대학교 실용음악과 교수로 재직 중이며 강승호의 아내이다.

강승호 김완선, 소방차, 김종서, 박상민, 사랑과 평화, 장혜진, 캔 등을 키운 대한민국의 연예기획자다. 현재 캔 엔터테인먼트의 대표이며 장혜진의 남편이다.

4.

믿을 수 있는 금융

"서민들이 복잡한 금융제도를 잘 몰라도 전 재산을 날리는 일 없는 세상, 전화 한 번 잘못 받았다가 클릭 한 번 잘못했다가 신용불량자 되는 일이 없는 세상, 악의적 금융 사고를 당해도 법의 보호를 받을 수 있는 그런 세상을 만드는 것, 이것이 '이혜훈이 정치하는 이유'입니다."

키코의 악몽

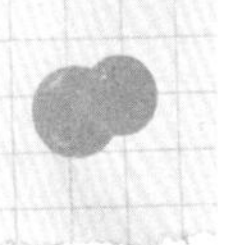

키코의 진실

2008년 수많은 중소기업들이 외환 파생상품에 가입해 천문학적인 피해를 입은 키코 사태는 발생 5년이 지나도록 여전히 소송이 진행 중이다. 당시 이 파생상품의 피해를 입은 중소기업들은 약 700여 개사로 추산된다.

파생상품은 레버리지(leverage)가 높은 특성이 있다. 레버리지란 적은 돈으로 큰 수익률을 얻기 위해 빚을 내는 투자기법이다. 예를 들어, 주식을 구입할 때 구입금액의 절반을 대출받아 투자하면, 주식가격이 상승해 대출이자보다 높은 수익을 낼 수 있을 때는 레버리지로 인해 큰 이득을 볼 수 있지만 주식가격이 하락하면 크게 피해를 볼 수가 있다. 그런데 파생상품은 주식보다 레버리지가 훨씬 더 크다. 그만큼 불안하고 위험성이 높은 금융상품이라는 뜻이다.

키코 사태에서 문제가 된 외환 파생상품도 마찬가지여서 환율 상승으로 손실이 눈덩이처럼 커졌다. 이 때문에 매달 돌아오는 상환 부담을 감당하지 못해 많은 기업들이 도산했고, 살아남은 기업들도 부도 위기에 시달리고 있다. 해당 회사뿐만 아니라 협력업체들까지 연쇄 피해를 입어 수많은 사람들이 직장을 잃었다. 피땀 흘려 일군 회사를 하루아침에 이름도 낯선 파생상품에 날려버리고 오랜 소송으로 인한 스트레스를 견디지 못한 경영자들 가운데는 우울증이나 병에 걸리고 심지어 생명을 포기하는 사람까지 생겼다.

외화, 특히 달러로 대금을 받는 수출기업들에게 환율 변동은 회사의 이익과 직결된다. 예를 들어, 한 수출기업이 10만 달러의 대금을 받았는데 1000원이던 환율이 900원으로 떨어지면 이 기업은 1000만 원의 손실을 보는 것이다. 그래서 환율 하락으로 인한 손실을 피하기 위해 사전에 미리 정해진 환율로 미래에 달러를 팔 수 있는 선물환 거래를 이용하는 기업들이 적지 않았다. 하지만 이러한 선물환 거래는 환율 하락으로 인한 손실은 막아주지만 환율 상승으로 인한 이익은 보장해 주지 않는다. 그래서 등장한 것이 키코다.

키코는 주가가 얼마 이하로 떨어지지 않거나 얼마 이상으로 오르지만 않으면 고수익을 보장해 주는 주가연계증권(ELS)과 비슷한 파생상품이다. 환율이 일정 범위 밖으로 떨어지거나 오르지 않으면 환율이 하락할 때는 손실을 막아주고 상승할 때는 이익을 부분적으로 보장해 준다. 하지만 환율이 하한선과 상한선을 벗어나면 문제가 생길 수 있는 무서운 상품이라는 것이 바로 키코의 함정이다.

환율이 너무 떨어져서 사전에 정해놓은 하한선에 한 번이라도 도달하면 약속한 가격에 달러를 팔 수 있는 권리가 사라진다(낙-아웃, knock-out). 정작 환율로 인한 손실에 대하여 보호가 필요한 상황이 오면 판매 은행은 그 손실을 부담해 주지 않는 것이다. 반대로 환율이 너무 올라서 사전에 정해놓은 상한선에 도달하면 사전에 정해진 환율로 은행에 팔아야 한다(낙-인, knock-in). 말하자면 시장에서 비싼 가격에 달러를 사서 미리 정해놓은 싼 가격에 은행에 팔아야 하는 것이다. 이 지점에 키코의 무서운 덫이 숨어 있다. 상한선과 하한선으로 이루어지는 환 헤지* 구간을 더 넓히는 대신, 낙-인 시에는 약정한 액수의 2~3배로 달러를 팔도록 계약한 '레버리지' 키코가 바로 그것이다. 매달 10만 달러를 약정했을 경우 환율이 상한선에 도달하기만 해도 20만~30만 달러를 토해내야 하는 것이다.

* 헤지(hedge) 다른 자산에 대한 투자 등을 통해 보유하고 있는 위험자산의 가격 변동을 제거하는 것을 말하며, 주로 선물 옵션과 같은 파생상품을 이용한다.

'제로 코스트', 즉 수수료가 없는 상품이라고 선전되었던 키코는 사실 기업은 싼값에 풋옵션(일정한 가격에 팔 수 있는 권리)을 사고 은행에는 그보다 2배 이상 비싼 가격에 콜옵션(일정한 가격에 살 수 있는 권리)을 팔게 되어 있는 불합리한 상품이었던 것이다.

2008년 당시 정부는 수출 가격 경쟁력을 높이기 위해 환율 급등을 방치 또는 유도했고 여기에 전 세계적 금융위기가 가져온 혼란을 노린 환투기 세력까지 가세하는 바람에 환율이 급등하기 시작했다. 모든 사람들이 환율이 더 떨어질 것으로 예상하던 시점에 갑자기 환율이 올라버리자 키코의 지뢰가 도미노 무너지듯 연쇄적으로 터져나왔다. 중소기업들의 피해는 눈덩이처럼 커졌고, 수습이 불가능한 중소기업들이 도산하거나 대규모 부채를 지고 파산 위기에 처하게 되었던 것이다.

진실을 외면하는 법원

당시 피해를 입었던 도루코, 캐프, 엠텍비젼, 케이에이치이는 우리은행과 하나은행을 상대로 키코 관련 부당이득금 반환 청구 소송을 제기해 소송 진행 중이다. 이들 소송에서 분쟁의 대상이 되는 가액은 총 1088억 원에 이른다. 이외에도 214개의 기업들이 은행을 상대로 유사한 소송을 진행 중이다. 현재 피해 기업들은 대형 은행과 로펌을 상대하기 위해 공동대책위원회를 운영하고 있다.

하지만 키코 사태 이후 무려 5년 넘게 이어지는 법정 공방에서 소송의 결과는 중소기업에게 불리하게 나오고 있다. 2013년 11월 26일 대법원은 수산중공업 · 세신정밀 · 모나미 · 삼코가 우리은행, 한국씨티은행, 신한은행, 한국스탠다드차타드(SC)은행, 하나은행을 상대로 낸 키코 상품 계약에 따른 부당이득금 반환 청구 소송 4건에 대한 상고심 선고에서 판결을 내렸는데 판결 내용을 자세히 보면 사실상 은행 측의 손을 들어주는 것이었다.

대법원 전원합의체는 우선 "키코 상품은 환 헤지에 부합한 상품으로 은행이 이를 판매한 것은 불공정행위에 해당하지 않는다"고 판결했다. 또 "어떤 계약이 불공정한지 여부는 계약 당시 시점을 기준으로 판단해야 한다"며 "향후 외부 환경 급변에 따라 일방에 큰 손실이, 상대방에 상응하는 이익이 발생하는 구조라고 해서 그 계약이 불공정하다고 볼 수 없다"고 지적했다. 대법원은 "일반적인 거래에서 용역의 판매자가 구매자에게 판매 이익금을 알려줄 의무가 없고, 은행이 거래시 일정 이익을 추구하려는 것은 시장경제 속성상 당연하다"고 밝혔다.

다만 일부 사건에서는 투자자를 일반투자자와 전문투자자로 구분하고, 일반투자자에게 투자 권유를 할 때 일반투자자의 투자 목적, 재산 상황 및 투자 경험 등에 비추어 그 일반투자자에게 적합하지 않은 투자 권유를 할 수 없도록 되어 있는 적합성 원칙 및 설명 의무 위반을 이유로 은행 측에 일부 배상 책임을 물었다. 키코 상품에는 문제가 없다고 결론 내리면서 불완전판매 등에 대해서는 은행의 책임을 물은 것이다.

이러한 대법원의 판단에 따라 우리은행과 씨티은행을 상대로 총 183억 원의 소송을 냈던 수산중공업은 1 · 2심과 같이 원고 패소 판결을 받았다. 세신정밀의 경우 신한은행이 피해액의 30%를 돌려주라는 1 · 2심과 같은 원고 일부 승소 판결로 결론이 났다. 모나미는 한국스탠다드차타드은행을 상대로 총 94억 원의 소송을 제기해 1심은 패소했고 2심에서 피해액의 20%를 돌려주라는 일부 승소 판결을 받았지만 원심을 파기하고 사건을 서울고등법원으로 돌려보내라는 판결을 받았다.

다만 삼코의 경우 하나은행과 체결한 2건의 키코 계약 중 첫 번째 계약은 "적합성 원칙 및 설명 의무 위반에 관한 심리를 다 하지 않았다"며 원고 패소로 판결한 원심을 파기하고 사건을 서울고법으로 돌려보냈고, 두 번째 계약은 은행 측 의무 위반을 인정하여 "하나은행은 3억 4500만 원을 지급하라"는 원심 판결을 유지했다.

결국 삼코를 제외한 3개사는 패소로 결론이 난 것이다. 이에 따라 이외에 재판을 받고 있는 214개 기업은 은행으로부터 손해 배상을 한 푼도 받지 못하거나 극히 일부만 배상받게 되었다.

법원 판결의 허점

왜 이런 판결이 나오는 것일까? 법정의 진실은 실체적 진실과는 다르기 때문이다. 우리나라의 민사소송법은 철저한 '당사자주의'이다. 법원이 직접 현장에 나가 조사하거나 증거를 수집하거나 관련 기관에 증거 제출을 강제해서 판단하는 것이 아니라 소송 당사자들이 각자의 증거를 들고 법원에 찾아가 공방을 벌이는 것인데, 피해를 입은 당사자에게 그 사실을 입증할 책임이 있다. 법원이 보는 진실은 '법원에 제출된 증거로 구성된 진실'인 것이다. 이 말을 다시 뒤집어 해석해 보면 '증명하지 못한 진실은 진실이 아니며 아무리 큰 피해를 입었다고 하더라도 피해에 대한 배상을 받을 수 없다'는 것이다.

그런데 키코 사태에 관련된 중소기업들에게는 당시 피해 상황을 입증할 수 있는 증거가 많지 않다. 대개 잘 알고 지내오던 은행지점 사람들로부터 권유를 받고 무슨 상품인지, 어떤 위험이 있는지 제대로 설명을 듣지 못하고 이해하지 못한 상태에서 계약서보다는 구두(口頭)나 의향서와 같은 두루뭉술한 형태로 계약이 이루어졌던 경우가 많기 때문이다. 몇 차례나 권유한 은행원의 말을 녹음해 두거나 서류에 남겨놓은 기업은 별로 없었다.

따라서 법원의 판결이 은행의 손을 들어주었다고 하더라도 이는 '법적 판단'일 뿐이며 '실체적 진실'과는 거리가 있다. 그렇다면 실체적 진실은 무엇일까?

실체적 진실은 '설령 중소기업이 투자하겠다고 먼저 나섰더라도 팔을 걷어붙이고 말렸어야 할 은행들이 중소기업을 상대로 파생상품 구조가 들어간 위험한 폭탄을 판매하여 이익을 챙겼다는 것'이다. 이것이 키코 사태의 핵심이다. 파생상품을 팔아서 이익을 챙긴 금융기관이 증권회사가 아니라 수십 년 동안 중소기업과 함께해 온 은행들이었기에 피해가 더욱 커졌던 것이다.

중소기업에게 은행은 안전한 금융기관의 대표이며 자신들과 공생하는 이웃이었다. 은행은 담당 직원들이 중소기업 경영자나 직원들과 자주 얼굴 보고 밥도 먹고 서로의 가족 건강까지 챙겨주면서 살아온 전형적인 관계형 금융기관이다. 이런 은행들이 중소기업을 상대로 파생상품 구조가 들어간 금융상품을 판매해 피해를 더욱 키운 것이다.

은행들이 중소기업들을 상대로 뻔히 예상되는 '금융사기'를 벌였다는 말은 아니다. 실제 전 세계적인 금융위기는 아무도 예상하지 못했던 돌발 변수였고, 이는 은행이라고 하더라도 예상할 수 있었던 범위를 벗어나는 것은 사실이다. 법원도 이 점을 중요한 판결 요소로 판단했다.

그러나 은행의 진짜 책임은 '환율 급등을 은행이 사전에 예상했느냐' 여부에 있는 것이 아니다. 키코는 파생상품 구조라는 특성상 레버리지가 엄청나게 높은 상품인데 파생상품에 대해 별 지식이 없는 중소기업에 판매했다는 발상 자체가 문제라는 것이다.

여기서 중소기업을 주 대상으로 영업하는 IBK기업은행의 키코 판매는 60여 건에 불과했다는 사실은 시사하는 바가 크다. 그나마도 몇몇 중소기업 고객들이 다른 은행들은 키코라는 좋은 금융상품을 다 판매하는데 왜 IBK기업은행만 안 하느냐고 항의해 마지못해 판매한 것이다.

왜 다른 은행에 비해 IBK기업은행만 키코 판매가 극단적으로 적은지를 생각해 봐야 한다. 다른 금융사보다 못나서 키코를 판매하지 않았을까? 이익을 챙길 줄 몰라서였을까?

중소기업은행으로 출발한 IBK기업은행은 주식의 51%를 정부가 소유하고 있는, 금융위원회 산하 특수은행으로서 중소기업들만을 중점적으로 관리하는 은행이다. 수수료 이익 챙기기에 급급하기보다는 중소기업 고객들을 상대로 본질적으로 해야 할 업무가 무엇인지를 먼저 생각했을 것이다. 눈앞의 이익 챙기기에 급급하지 않고 거래 상대방의 장기적 안전과 건전성을 챙기는 것, 이것이 진정한 관계금융이며 더불어 가는 금융이다.

키코 사태에 대한 법적 판결 결과와 무관하게 은행은 상호 신뢰의 관계를 배신한 오점을 남기게 되었다.

키코 피해기업 공동대책위원회 사무총장·사무차장

자본의 탐욕이 빚어낸 참사

우리 회사 정식 직원만도
한 500명은 됐었고
우리 협력업체 직원은
모두 1000여 명이 넘었어요.
그때 죄다 실업자가 되었습니다.

정정식(이하 키코공대위 사무총장) 제가 다녔던 회사는 휴대폰 부품 회사로서 연 매출액이 1000억 정도 하던 회사였습니다. 노키아, 삼성, LG 등 대기업에 납품하면서 잘해나가고 있었는데 한번은 거래 은행 지점의 팀장이 찾아왔어요. 저희들이 중국에 공장을 만들어야 되는 시점이었는데 자기들이 신용으로 100억을 빌려주겠다고 그래요. 우리 회사 신용평가등급이 A플러스였지만 그래도 100억이라면 큰돈 아닙니까? 담보를 잡고 해줄 일인데 신용으로 빌려주겠다고 해서 정말 고맙게 생각하고 1년 동안 빌려서 투자하면서 쓰고 있었습니다.

그런데 돈 빌려준 지 1년쯤이 지난 2007년도 초에 그 팀장이 다시 찾아와서 본점에서 좋은 투자상품이 나왔다, 환위험을 헤지하는 데 굉장히 좋은 상품이다 하면서 회장님에게도 소개를 하고 저한테도 이야기하는데 아무리 들어봐도 잘 모르겠더라고요. 우리는 내용이 복잡해서 모르겠으니 그냥 예금이나 들어주겠다며 넘어갔지요. 그래도 계속 몇 번을 찾아와서는 자꾸 권해요. 그래도 역시

잘 모르겠더라고요.

우리 회사는 그때까지 선물환도 해본 적이 없었거든요. 그냥 열심히 일하고 수출해서 달러나 유로가 대금으로 들어오면 그걸 시장에서 매각해서 회사를 꾸려가고 있었어요. 그런데 그때 환율이 계속 내려가고 있었어요.

이혜훈 당시에 모든 금융기관들이 환율 하락을 예측하고 있었지요. 조선업 경기가 좋아서 거액의 달러가 계속 들어올 예정이었던 데다 조선업계에서 달러 가치 하락이 걱정되니까 선물환을 계속 팔아치우고 있었거든요. 당연히 환율이 계속 내려갈 수밖에요.

키코공대위 사무총장 환율이 내려가서 걱정하고 있는데 그 팀장이 계속 와서 자꾸 권하니까 우리가 마음이 흔들리지요. 회장님께 "이 회사에서는 CFO(최고재무경영자)가 그런 투자나 헤지도 안 하고 뭐합니까?" 이런 말도 하고 그랬어요.

이혜훈 당시 상황을 파악해 보니까 다른 회사들은 이런 상품에 가입해서 환율이 내려가도 이득을 보고 있는데 당신 회사는 뭐하고 있느냐며 경쟁을 붙이기도 했다고 합니다. 그러면 자기만 잘 몰라서 회사에 불이익을 끼치나 싶어 아랫사람들은 당연히 불안해지죠. 윗사람도 그렇고요. 정말 사람을 심리적으로 흔드는 판매작전입니다.

키코공대위 사무총장 그때 100억을 빌려준 게 만기가 다가오고 있었어요. 그런데 그 지점 담당직원이, 자기네 차장과 부지점장이 우리 회사에 대한 대출이 본점으로 올라가면 연장 승인이 날지 어쩔지 잘 모르겠고 승인이 난다고 하더라도 이자율이 올라갈 것 같다, 본점에서 팔고 있는 상품이나 계약 같은 거라도 하나 해놓으면 아무래도 대출만기 연장이 좀 쉽지 않겠느냐는 이야기를 한다는 거예요. 우리 회사 입장에서는 신용으로 받은 100억은 중국에 투자를 해놓고 있는데 그걸 갚으라고 하면 갑자기 어디서 100억이라는 돈이 생깁니까? 그냥 부도가 나는 거죠. 그래서 가입하게 된 것이 '키코'였지요.

이혜훈 그러니까 사실상의 '꺾기'인 거죠.

키코공대위 사무총장 그래서 회장님과 이야기해 가지고 어차피 저쪽에서 우리 도와줬으니까 우리도 저쪽 돕는 셈 치고 울며 겨자 먹기로 키코가 뭔지도 모르고 계약한 거예요. 환율이 자꾸만 내려가니까 우리로서도 별로 손해날 건 없겠다 싶기도 했고. 그런데 갑자기 환율이 급등한 거예요. 그러니 회사가 어떻게 되었겠습니까? 결국 부도가 났죠. 키코 때문에 200억 원의 손실이 났거든요.

이혜훈 영업이익률이 10% 정도라고 보면 200억 원 벌려면 2000억 원의 매출을 올려야 하는데, 중소기업이 무슨 재주로 200억 원이라는 손실을 감당합니까? 환율이 올라갈 때는 손실 한도 없이 무조건 2배 이상의 손실을 보도록 설계된 위험한 파생상품인 줄 까맣게 모르고 계약을 했으니 아무리 튼튼한 알짜 회사라도 견딜 재간이 없지요.

키코공대위 사무총장 진짜 날벼락이었죠. 우리 회사 정식 직원만도 한 500명은 됐었고 우리 협력업체 직원은 모두 1000여 명이 넘었어요. 그때 죄다 실업자가 되었습니다. 어떻게 해서든 수습해 보려고 무진 애를 썼는데 결국 1년 반 정도 버티다가 우리 회사가 도산하는 바람에 협력업체까지 도산했으니까요. 저희들이 금융감독원에 가서 진정도 넣어보고 온갖 노력을 해봤지만 별로 소용이 없었어요.

이혜훈 당시 일이 터졌을 때도 어떻게 이런 일이 생길 수 있나 어안이 벙벙했는데 다시 들어봐도 참 기가 막힌 사연입니다. 키코 피해 중소기업들은 내용을 잘 모르고 계약을 했다, 불완전판매였다고 주장을 하지만 법적으로는 그걸 입증할 방법이 마땅치 않아요. 은행에서는 계약서에 자세한 내용이 다 써져 있었다, 해당 기업이 잠재 위험에 대한 충분한 설명을 듣고 난 후 자필 서명했다 주장할 텐데 그걸 뒤집을 만한 증거가 없잖아요. 그 이후 진행된 소송 내용을 보면 중소기업들에게 많이 불리하게 돌아가고 있는 것으로 파악하고 있습니다.

키코공대위 사무총장 그렇죠. 저희들이 당시 공정거래위원회에다 약관이 잘못된 거 아니냐, 불공정 약관이다 하고 진정을 냈습니다. 공정거래위원회에서 불공정 약관이라고 판정을 내려주면 재판까지 안 가도 해결할 수 있으니까요. 그런데 공정거래위원회에서 이건 약관이 아니라고 해버리더군요. 공정거래위원회 본안심사 이전에 소위원회에서는 불공정 약관이라는 이야기가 나오기도 했어요. 하지만 소위원회에서 판결하기에는 사건이 너무 크니까 전체회의에 올리자고 해서 올라갔던 건데 거기에서 이건 약관이 아니기 때문에 공정거래위원회에서 판정할 수 없다는 결론이 난 것입니다. 약관이 아니라 그냥 당사자 간 계약이라는 이야기죠. 그래 버리니까 법에 호소하는 수밖에 없게 되었지요.

이혜훈 약관이 아니라는 근거가 무엇이었습니까?

키코공대위 사무총장 네고시에이션(협상)이 가능하기 때문에 약관이 아니고 일반 계약이라는 겁니다. 그런데 소송은 장기화될 수밖에 없어요. 키코 상품들은 계약 만기가 매달 돌아오니까 손실이 매달 발생할 수밖에 없습니다. 한 달에도 몇 억씩 계속 손실이 나니까 맨 처음에는 가처분 신청을 했습니다. 처음에 어떤 두 회사가 효력정지 가처분 신청을 냈는데 법원 1심에서 이 신청을 받아줬습니다. 그래서 우리도 가처분 신청을 내보자 했었죠. 이제 기업이 회생할 희망이 있다고 생각했죠. 그런데 그게 항소심에 올라가서 다 깨져버린 거예요. 그러니까 어쩔 수 없이 본안소송으로 갈 수밖에 없었습니다. 본안소송에서 이긴 곳이 별로 없어요. 한 20~30% 정도 구제받은 회사가 더러 있는 정도지요.

이혜훈 금융권은 엄청난 수임료를 내고 금융 전문가들이 포진한 대형 로펌을 끼고 소송을 하는데, 파산당한 조그마한 중소기업들이 무슨 돈이 있어서 그런 대형 로펌을 선임을 할 수 있겠어요? 저는 공정한 세상이 되려면 사법정의가 꼭 필요하다고 생각합니다. 한국의 민사소송은 '당사자주의'거든요. 대형 로펌들이 '사법적 증거'를 수집해서 법정에 제출하면 실체적 진실과는 무관하게 '법률적 진실'이 결정되어 버려요. 중소기업들은 대형 로펌을 선임할 돈

이 없고 그걸 못 하니까 계속 소송에서 지거나 부분 승소가 고작인 것입니다.

키코공대위 사무총장 사실 여부가 확인된 것은 아니지만 한 법무법인은 씨티은행 한 건을 1심만 변호하고도 200억을 벌었다는 이야기를 들은 적이 있습니다.

이혜훈 요즘 유전무죄는 옛날의 유전무죄와 개념이 다릅니다. 예전에는 뒷돈을 주고 누군가를 매수해서 유전무죄로 뒤집히는 바람에 문제였는데, 요즈음은 대형 로펌들이 증거를 수집해 합법적인 무죄를 만들어요. 그 대가로 엄청난 수임료를 받고요. 합법적 유전무죄는 대처할 방법도 없습니다.

키코공대위 사무총장 그걸 저희들이 뼈저리게 느끼고 있습니다. 저희들이 소송을 하면서 가장 아쉬워하는 게 바로 서류에 따른 증거

요즈음은 대형 로펌들이 증거를
수집해 합법적인 무죄를 만들어요.
그 대가로 엄청난 수임료를 받고요.
합법적 유전무죄는 대처할 방법도 없습니다.

의 부족입니다. 당시 저희들이 은행에 의해 키코 계약을 하면서 받았던 게 '텀 시트(Term Sheet)'라고 해서 그냥 계약서 한 장 달랑 받았거든요. 전화상으로 이야기해서 계약이 체결되고 한 일주일 이내에 원본이 와서 다시 사인해서 보내주면 끝이었죠. 저희가 평상시 대화나 전화 내용을 녹취했겠습니까? 그러니 아무 증거가 없어요.

이혜훈 은행에는 녹음된 것이 있을지도 모르는데 녹음 원본을 내놓으라고 자료 제출 요구를 한 적이 없습니까?

키코공대위 사무총장 했죠. 하지만 은행이 녹음자료의 존재 자체를 부인해요. 법원에서도 판사님이 자료를 내놓으라고 강제를 해야 할 텐데 있냐, 없냐 하고 물어만 보니까 당연히 없다고 할 것 아닙니까? 강제성이 없으니까 물어보나 마나죠.

제 기억으론 계약 당시 '전화상으로 계약할 때 그 전화 내용이 녹음되면 계약이 체결된 것으로 한다'라는 조항이 있었던 것 같아요. 그러니까 은행은 전부 전화 녹음을 해놓고 있다가 유리한 부분만 발췌해서 법정에 내놓는 것으로 보입니다. 어떤 업체는 전화로 계약에 동의했다가 바로 다음날 전화를 해서 어제 계약을 해지하겠다고 했다는 데 그것도 재판에 가서 인정을 못 받았다고 합니다.

이혜훈 전화로 취소한 내용이 남아 있지 않으니까 상대방이 그걸 부인하면 입증하기 어렵지요. 저는 그 점에 대해 이렇게 생각합니다. 자본시장법에서 불완전판매 여부를 판단하는 기준이 녹취입니다. 따라서 금융사가 금융 계약을 성사시킬 때 자기네들만 녹취하지 말고 거래 상대방에게 '녹음을 해놔야만 당신이 보호받을 수 있다'는 문구를 창구에다 붙여놓든지 해서 알려줘야 한다고 생각합니다. 또 전화상으로 하는 계약들이 많으니 사전에 상호 녹취를 하는 것이 좋다고 반드시 공지해 줘야 하고요.

키코공대위 사무총장 소송을 하면서 보니까 재판부는 금융기관이 기업에게 내용을 설명했느냐 안 했느냐를 문제 삼습니다. "금융기관 사람들이 환율 변동을 알려주고, 환율 계약의 구조를 알려주고, 환율이 올라서 낙-인이 됐을 때 계약의 2배다, 이런 기초적인 것을 다 알려준 것 아니냐" 이렇게 묻습니다.

이혜훈 문제는 중소기업이 내용 설명을 들었다고 하더라도 그걸 판단할 수 있는 전문성을 갖고 있지 않다는 것이지요. 그러니까 단순한 불완전판매 문제가 아니라 적정성 원칙의 위배, '노우 유어 커스터머 룰'(Know Your Customer Rule, 고객 파악 규칙. 금융기관 또는 이에 준하는 규제를 받는 회사들이 고객과 거래를 하기 위해서는 거래와 관련된 정보를 고객으로부터 충실히 확인해야 한다는 규칙) 위반이 되는 것입니다.

키코공대위 사무총장 2005년에 공기업들이 비슷한 파생상품에 가입했다가 3000억 정도 손해를 보는 사건이 있었습니다. 공기업들이 4개의 외국계 은행에게 멋모르고 당한 일이었는데, 그때는 금융감독원이 외국계 은행들에게 원금 회복 조치 안 해주면 영업정지 내린다고 하며 막후에서 지원해 줘서 상당액을 회복할 수 있었다는 이야기를 들었습니다. 이러한 이야기를 듣고 우리가 법원에다 사실 조회를 요청했는데 금융감독원에서는 "그런 내용이 아니다"라며 부인했습니다.

김화랑(이하 키코공대위 사무차장) 저희로서는 금융감독원의 태도가 공기업 대할 때와 중소기업 대할 때 다른 부분이 있다고 생각할 수밖에 없어요. 비슷한 사안에 대해 2005년 공기업에 대한 조치랑 2008년 키코 피해 중소기업에 대한 조치가 완전히 다르다는 건 솔직히 말이 안 된다고 생각합니다.

키코공대위 사무총장 2008년에 키코를 진짜 강제로 판매한 은행들이 있었던 모양입니다. 그러니까 금융감독원에서 몇 군데를 제재했는데, 당시 제재심의위원회에서 "관련 재판이 진행 중이니까 지금 제재한다면 영향을 줄 수 있으니 제재하면 안 된다"고 했답니다.

이혜훈 법원이 금융 문제에 대해 전문성이 없으니까 금융감독원의 전문적 판단과 해석에 기대고 있는데, 금융감독원은 거꾸로 법원의 판단을 기다린다니 이상하지요. 그런 문제는 법원의 판단과 상관 없이 금융감독원 독자적으로 제재 여부를 판단하면 되는 것이고, 그 결과를 법원이 참고하도록 해야죠.

키코공대위 사무총장 문제는 그런 발언을 한 사람이 소송 당사자인 씨티은행장이었다는 겁니다. 직접 그 회의에 참석해서 이야기한 것이고 회의록도 있습니다.

이혜훈 다른 위원들이나 금융감독원이 그런 주장을 받아들여 줬나요? 제재심의위원회 위원이라도 자신이 직접 관련된 사건이라면 심의하지 않는 게 맞고, 금융감독원이 기피신청을 받았어야죠. 그런 일은 회의록을 보면 금방 확인할 수 있지 않습니까?

키코공대위 사무총장 당시 제재심의위원회가 그 주장을 받아들여서 제재를 1년 6개월 유예시켜서 2009년도 하반기에 제재가 실행되었죠. 그래서 저희들이 지금 현재 금융감독원에 대한 감사원의 감사를 청구해 놓고 있습니다. "사실 확인 요청에 대해 금융감독원이 왜 응답하지 않는지 감사를 해달라" 이런 취지로요.

이혜훈 사실 키코처럼 복잡한 금융상품에 대한 판단은 금융감독원이 책임지고 올바른 기준을 세워줘야 하는데 그걸 법원으로 그냥 떠넘기고 법원은 거꾸로 금융감독원의 판단을 구하고 있으니 향후 금융감독원의 역할과 책임에 대해 분명한 원칙을 세워야 할 겁니다. 키코와 관련해 이제야 감사 청구가 들어간 걸 보면 당시에는 감사가 없었던가 보죠?

키코공대위 사무총장 키코 같은 특정 사건과 관련한 감사는 없었던 것으로 알고 있습니다. 일단 사건의 당사자가 아니니까요. 그런데 당시 회의록 등 관련된 자료는 모두 남아 있을 거라고 생각합니다.

이혜훈 키코 사태가 발생했을 때 일이 워낙 크니까 금융감독원에서 여러 차례 회의를 했을 것이고 그 회의록이 남아 있겠네요.

자본주의가 탐욕을 제어하지
못하면 이건 재앙이에요.
그 탐욕을 정부와 규제당국이 적절하게
제어해 주어야 합니다.

키코공대위 사무총장 그때 제재심의위원회에서 해당 은행장이 판결을 연기하자고 했을 적에 그 주장을 받아주었는지 여부 그리고 금융감독원 내부에서 키코 건은 문제가 있다, 상품에도 문제가 있으니 그걸 판매한 금융기관을 처벌을 해야 한다고 이야기한 내용들이 회의록에 다 기록되어 남아 있다고 저희는 생각합니다. 자료는 파기하지 않았을 테니까요. 감사원에서 감사를 하면 뭔가가 드러나겠지요.

이혜훈 키코 사태를 비롯해 대형 금융사고가 터질 때마다 참 탐욕스러운 자본주의의 일면이라는 생각이 듭니다. 대한민국 헌법 1조 1항에 자유시장경제를 존중한다고 돼 있고 저도 시장경제를 존중하는데, 이 자본주의가 탐욕을 제어하지 못하면 이건 재앙이에요. 그 탐욕을 정부와 규제당국이 적절하게 제어해 주어야 합니다. 그런데 직무유기가 일어나는 일들이 적지 않습니다.

키코공대위 사무총장 자본주의 시장경제에서 계약은 계약 내용을 상대방에게 자세히 알려주고 대등한 조건하에서 이루어져야 되는 것 아닙니까? 중소기업에 다니는 우리 같은 사람들이 금융을 뭘 압니까? 은행을 생각할 때 기업과 함께 살아가는 상업은행으로 생각했거든요. 기업에 돈 빌려주는 대신 이자를 받고 서로 도움을 주고 같이 커가는 대상으로 생각했는데, 키코 건으로 회사가 완전히 부도가 나버린 다음에는 우리를 이용해 자기 배만 불리는 기관이라는 생각밖에 안 들어요.

이혜훈 파생상품이라는 게 나오면서 금융이 너무 복잡해졌습니다. 심지어 금융에 종사하는 사람들도 잘 몰라요. 아마 키코를 판매하려고 중소기업에 다녔던 은행 직원도 그게 어떤 상품인지 잘 몰랐을 겁니다. 본점에서 그런 상품을 만들어서 팔라고 하니까 열심히 팔았겠지요. 원래 금융이라고 하는 것은 실물에 기반을 둬야 정직한 법인데, 최근의 금융은 실물과 유리된 채 너무 가지를 많이 치고 복잡다단해지고 있습니다. 파생상품은 특히 기초 자산의 몇 배나 레버리지를 할 수 있게 만드니까 한번 사고가 터지면 정말 위험하고 파급력이 큽니다. 전 세계 237개국의 국내총생산(GDP)을 다 합하면 54조 달러 정도 된대요. 그런데 전 세계에 돌아다니는 파생상품 규모는 600조 달러나 된다고 합니다. 실물의 10배가 넘는 거예요. 그러니 얼마나 자산 거품이 많겠어요. 문제가 얼마나 심각한지 짐작이 가죠. 그런데 우리나라처럼 금융이 발전하지 못한 국가 입장에서 주목해야 할 점은 전 세계에서 파생상품을 팔고 있지만 그 상품을 설계하는 국가는 소위 금융 선진국 몇 개국에 불과하다는 점입니다.

키코공대위 사무총장 씨티은행 등이 환율을 조작했다고 해서 한국 기업들이 미국에 소송을 제기했다는 기사를 봤습니다. 몇몇 글로벌 은행들이 파생상품 구조를 만들어 판 다음에는 환율이 자기네들에게 유리한 쪽으로 움직이도록 한 것이 아닌가 저희는 그런 의혹을 가지고 있습니다. 저희들이 가장 화가 나는 부분은 키코 상품을 만들어 팔면서 보인 은행의 행태입니다. '제로 코스트이니 회사에서 지급할 수수료가 없다' '환율이 내려가니 절대 환율 상승으로 낙-인에 걸려 2배를 물어내는 일이 없을 것이다'는 등 팔기 위해 숱한 거짓말들을 해놓고 재판에서는 '적당한 수수료를 받았다' '환율이 올라갈 줄은 몰랐다' '회사도 다 알고 계약한 것 아니냐'라는 등의 주장을 하는 은행과 그것을 그대로 인정해 주는 재판부를 보면 정말 짜고 치는 고스톱 같습니다. 중소기업이 죽어버리고 나면 은행들만 잘살 수 있겠습니까? 우리 같은 중소기업이 많아야 은행도 사는 거잖아요.

키코공대위 사무차장 저희 중소기업들이 700개사가 넘게 키코 피해를 당했습니다. 키코공대위 회원사 200여 개사만 기준해도 피해액이 2조 2300억 정도 되거든요. 그런데 금융감독원 발표를 보니까 700개사 넘는다고 하더라고요. 그럼 대체 전체 규모가 얼마나 될지 상상조차 안 됩니다.

이혜훈 미국의 명문 대학에서 금융공학을 전공한 졸업생들이 월스트리트에서 일하면서 여러 가지 파생상품을 만들어 팔았는데 외국계 은행들이 이런 걸 들여와서 우리나라 금융기관에 팔기를 권유했고 우리나라 금융기관들이 돈 벌려고 이걸 받아서 중소기업한테 팔았다, 중소기업이 무더기 도산을 했지만 결국 우리나라 금융기관도 당한 거다 하는 말이 당시에 돌았어요.

진위 여부는 확인할 수 없지만 그럴 법하다고 생각한 것 가운데 하나가, 1997년 외환위기 직전에도 미국의 투자은행들이 한국의 어리숙한 금융기관에 'TRS(토털 리턴 스왑, Total Return Swap)'라고 태국의 바트화 고정환율에 베팅하는 엄청나게 위험한 파생상품

을 팔았다가 국내 금융기관들이 무더기로 손해를 본 일이 있었거든요. 만약 사실이라면 또다시 남의 나라 금융기관에 속아 넘어갔다는 것인데 외환위기로부터 뭘 배운 건지 모르겠습니다.

또 우리나라 금융기관들이 파생상품 거래 규모 세계 1위라고 해서 무슨 파생상품의 종주국인 것처럼 자랑스럽게 얘기하는 사람들이 있는데, 저는 정말 그건 아니라고 봅니다. 우리가 자체 생산개발도 못 하면서 유통량만 1위인 것은 희생양 1위라는 뜻 아니겠습니까? 이용당하고 있다는 얘기죠.

키코공대위 사무차장 소상공인이나 중소기업의 경우는 사업이 망하면 개인은 물론 가족, 주변 친인척들의 삶도 함께 무너지는 게 대부분이죠. 키코 피해를 입은 중소기업을 보면 규모가 큰 중견기업도 있지만 정말 작은 수출제조기업도 많은데, 키코 피해를 입어서 대부분 도산했습니다. 어떤 여사장님 같은 경우는 1981년에 자신이 가진 봉제기술과 미싱 1대로 회사를 시작하셨어요. 그 후 30

소상공인이나 중소기업의 경우는
사업이 망하면 개인은 물론
가족, 주변 친인척들의 삶도
함께 무너지는 게 대부분이죠.

년간 옷 만드는 일을 천직으로 여기고 식원 8명과 함께 공장을 경영하고 계셨는데, 은행이 그런 공장까지도 찾아가 키코를 팔았어요. 결국 그분은 13억 원의 손해를 입었습니다. 옷 한 벌에 겨우 5~10달러 받아 운영하는, 매출 규모도 정말 얼마 되지 않는 회사가 그런 손해를 입다보니까 사무실은 물론이고 개인 집까지 다 담보로 잡히고 말았어요. 결국 이 회사도 문을 닫았지요.

이혜훈 말씀하신 것처럼 중소기업 하시는 분들은 삶에서 사업만 잘라낼 수 없어요. 삶과 사업이 분리되어 있지 않은 분들이 많지요. 그런 사업체들은 대부분 자기 삶만이 아니라 온 일가친척의 것까지 다 품고 있어요. 처제 시집갈 때 쓸 적금 같은 것까지 다 회사에 들어가 있는데 금융회사가 그런 돈까지 모조리 가져간 셈이 된 거죠.

키코공대위 사무차장 뭘 몰라서 그런 상품을 샀다고 해도 정말 억울한 것이 구두 계약 한 번 잘못해서 삶의 터전을 다 빼앗겼다는 겁니다.

이혜훈 제가 들어보니 키코 피해를 당한 중소기업 사장님들 중에 스스로 목숨을 끊은 비극적인 일이 있었지요?

키코공대위 사무차장 네, 대정맥파열로 재작년에 돌아가신 분도 계세요. 그분은 아버님 때부터 했던 사업인데 키코 계약서에 서명 한 번 잘못하는 바람에 회사는 폐업하고, 7대 종갓집도 담보로 잡혀 결국 경매로 처분되고, 그게 응어리가 돼서 돌아가신 겁니다.

이혜훈 연세가 어느 정도 되신 분이었나요?

키코공대위 사무차장 연세가 많지 않으셨어요. 한 65세 정도? 그러니 노환으로 돌아가신 게 아닙니다. 울화병으로 돌아가신 거예요. 이렇게 가슴에 진 응어리 때문에 우울증으로 병원 다니시는 분도 계시고 몸 반쪽에 마비가 온 분도 있습니다. 이분은 부산에서 경영하시는 분인데 직원들을 반 이상 내보내야 되니까 너무 미안한 거예요. 자식 같은 직원들이잖아요. 본인이 계약 한 번 잘못한 것 때문에 이 직원들이 다 직장을 잃어야 되니 은행한테 당한 것도 속상하지만 직원들한테 너무 미안한 거죠. 그런데 세상에서는 투기꾼이라고 비수까지 꽂으니까 더 못 견뎌하십니다. 어디 가서 말하기도 부끄럽다 하시고요. 이분이 금융감독원을 찾아갔는데 은행이랑 당신 회사 양자 계약의 결과니까 당사자끼리 알아서 하라고 그랬대요.

이혜훈 정말 안타까운 일입니다.

키코공대위 사무차장 저희가 물건을 하나 잘못 사면 이 물건 값만 손해를 보면 되는데 파생상품은 수십 배를 손해 봐요. 파생상품, 레버리지라는 개념이 없던 시절인 2007, 2008년의 일이니까 우린 정말 파생상품이 뭔지도 몰랐습니다. 이름도 당시에 키코가 아니었잖아요. 그때 '윈도우 키코 타겟 포워드(window kiko target forward)'인가 굉장히 긴 이름이었어요. 그러다보니까 키코 문제가 언론에 한참 나오는데도 어떤 기업들은 자기가 이걸 가입했는지조차 몰랐답니다. 좀 전에 말씀드린 윈도우 키코 타겟 포워드 말고도 '인핸스드 타겟 포워드(enhanced target forward)' '풋 스프레드 애니타임 타겟 포워드(put spread anytime target forward)' 등 외우기도 힘들고 어려운 키코 상품이 굉장히 다양했거든요. 어떤 사장님은 신문에 키코가 하도 자주 나니까 직원을 불러가지고 "우리도 이런 거 했니" 하고 물었더니 직원이 "죄송합니다, 저희도 했습니다" 한 일도 있어요. 그 직원은 키코라는 게 이렇게 크게 문제가 될 줄 몰랐겠죠. 기존에 하던 선물환과 같은데 수수료가 없는 대신

은행이 환율 오르면 좀 많이 가져가는 그런 정도로만 생각해서 사장님께 보고도 안 드리고 계약한 거예요.

키코공대위 사무총장 우리도 계약하기 전에 바보가 아닌 이상 은행에 물어볼 거 아닙니까? 환율 올라가면 진짜로 우리가 2배로 물어줘야 하느냐 그러니까 아니래요. 절대로 그런 일은 없을 거라며, 환율이 계속 내려가고 있고 앞으로도 내려갈 것이다, 금융기관들의 예측 자료들 봐라 그래요.

키코공대위 사무차장 전국의 은행들, 외국의 금융기관들과 JP모건 이런 데 자료 다 내놓고 하니까 그런가보다 했지요. 환율에 대해서 은행이 전문가인데 은행 말을 믿는 거지 중소기업 대표가 환율에 대해 뭘 안다고 독자적으로 판단했겠습니까? 장기 계약 부분도 그래요. 계약기간이 너무 길지 않냐고 물었더니 환율이 떨어지고 있고 환율이 하한선을 한 번이라도 치면 낙-아웃이 되어서 무효가 되니까 전혀 걱정 안 해도 된다, 만약에 손해가 생기게 된다면 재구조화(손실이전거래), 그러니까 다시 구조를 만들어서 거기다 포함시키면 전혀 손해가 없다, 이렇게 뭔지 모를 말로 자꾸 안심을 시키니까 그런가보다 생각한 거죠.

또 그 당시까지만 해도 은행이 중소기업에 뭘 팔아서 회사를 날릴 정도로 그런 허황한 계약을 서로가 해본 적이 없었으니까 그냥 믿은 거죠.

이혜훈 문제의 핵심은 은행이 중소기업의 사정을 빤히 알면서 그런 상품을 팔았다는 것입니다.

키코공대위 사무총장 사실 우리가 본점하고 거래한 게 아니거든요. 지점장하고 이야기하고 그 밑의 직원들하고 같이 만나서 한 달에 한 번 정도 회식하면서 이런저런 이야기 하다가 계약한 거예요. 서로 친하니까 같이 밥 먹고 우리가 업무 보러 은행에 맨날 가서 만나고 하니까…. 그렇게 같이 친하게 지내던 사람들끼리 거래를 했다가 이 지경이 되니까 이제 서로 적이 될 수밖에 없는 것입니다. 그런데 생각해 보면 그 사람들은 또 무슨 죄가 있습니까? 자기도 알고 팔았던 건 아닐 거고요.

이혜훈 은행 창구에서 현장 뛰어다니는 말단 직원들이 그 파생상품 키코 몇 개 팔았다고 엄청난 성과급을 가져갔겠습니까? 그냥 위에서 팔라고 독촉하니까 열심히 팔았겠지요. 그러니까 탐욕스런 사람들, 성과급이나 스톡옵션 같은 걸 엄청나게 갖고가는 몇 사람이 고안해서 저지른 일에 은행 하급직원이나 중소기업이 다 같이 피해자가 되었을 가능성이 높습니다.

키코공대위 사무총장 이번에 대법원에서 판결이 나왔는데 '이 상품은 부분적으로 환 헤지가 되기 때문에 환투기상품은 아니라고 본다'고 해석했어요. 그런데 우리가 보기에 키코는 명백하게 환투기상품이에요. 은행이 우리 돈으로 투기를 한 겁니다. 문제가 생겼을 때 물어주는 건 우리니까. 우리는 환 헤지라고 생각하고 계약했는데 결과적으로는 환투기가 되어 회사까지 파산한 것인데, 그걸 환투기상품이 아니라니까 황당하죠.

키코공대위 사무차장 민사소송 200여 건이 같이 들어갔지만 심리는 개별 사건별로 진행됩니다. 그러다보니까 한 네다섯 개의 재판부에서 한꺼번에 진행을 하는데 비슷한 사례인데도 제각각 다른 판결이 나와요. 어떤 재판부는 피해액을 20% 인정해 주고 어떤 데는 안 해주고…. 재판부 자체도 어떤 논리나 기준, 표준이 없이 키코 재판을 하다보니까 이런 결과가 나오는 것 같아요. 집단소송 성격의 사건의 경우 재판부에서 기준 같은 걸 정해서 결정하는 데 서로 참고해야 한다고 생각합니다. 비슷한 사안인데 서로 판결이 달리 나오면 누가 수긍을 하겠습니까? 또 완전히 다 이해하지 못하고 계약을 했다는 점에 대해서는 중소기업도 일부 책임져야 된다고 생각하지만, 지금의 판결을 보면 모두 중소기업이 책임지는 것으로 나와요. 피해액을 인정받는 기업이 정말 일부에 불과하고 그 비율은 30%도 안 돼요.

은행이 3을 잘못하고 우리가 7을 잘못했다는 것입니다. 저희는 솔직히 인정이 안 되거든요. 5:5 반반이면 그래, 내가 계약 잘못한 거 하나는 어쩔 수 없지 이렇게 납득이라도 할 텐데요. 그나마도 일부 회사의 경우예요. 나머지는 다 기업이 100% 패소했습니다.

키코공대위 사무총장 배상을 받고 안 받고를 떠나서 판결이 정말로 억울하다는 분들도 많아요. 올바르게 제조업을 해서 겨우 먹고살고 있는데 환율 전문가라는 은행 사람들이 와서 꼬드기는 바람에 넘어갔을 뿐이잖아요. 설령 판단을 잘못했다고 하더라도 그 잘못의 책임이 너무 크다는 거죠. "당신이 한 건 환투기야" 하니까 진짜로 미치는 거예요.

이혜훈 발생한 일에 대해서 시시비비를 따지는 것도 중요하지만 이런 일에 대해 금융감독을 철저히 해주고 법과 제도를 적시에 만들어 사전에 예방해 주는 것이 더 중요하다고 생각합니다. 그런데 키코 사태 이후에도 비슷한 일들이 계속 되풀이됩니다. 저축은행 사태, 동양그룹 사태 같은 것이 그렇지요. 사후 약방문이라도 되면 다행인데 사후 약방문도 안 나오는 거예요. 우리가 동양그룹 사태 나기 전부터 이런 일이 터질 위험이 있다고 계속 얘기하면서 그 1년 전부터 법안을 제출해 놓고 애를 태우고 있었거든요. 그 법이 1년 넘게 통과되지 않은 사이에 동양그룹 사태가 터졌습니다.

동양그룹 사태가 터졌으니 그다음에라도 빨리 법이 통과될 줄 알았죠. 그런데 아직 심의도 안 해요. 통과될 것 같지도 않고요.

언론의 보도 태도도 안타깝습니다. 키코 건도 한동안 시끄럽게 다루다가 지금은 언급도 잘 안 하죠. 키코에 문제가 있다고 생각하면 이 문제가 해결될 때까지 써야 되잖아요. 그런데 2, 3일 쓰다가 다른 사건이 터지거나 하면 관심이 모조리 거기로 옮겨가 버려요. 동양그룹 사태는 국정원 댓글 사건이 터져 관심이 다 거기로 가버리니까 아무도 책임을 묻지 않습니다.

키코와 비슷한 사태가 다시 벌어지는 것을 막기 위해서는 아까 말씀드린 것처럼 금융기관들이 고객들에게 음성파일이나 영상자료나 기록을 남기고 보관하도록 알려줘야 한다고 생각합니다. 양쪽이 서로를 보호하기 위해 다 기록을 가지고 있어야 해요. 그리고 금융기관에 보관된 기록이 있다면 백일하에 다 공개하도록 해서 정당한 재판이 이뤄져야 합니다.

키코공대위 사무총장 미국에서는 큰 소송을 하게 되면 재판부에서 판단해서 금융기관들에게 보관 중인 자료가 있다면 다 내놓으라고 강제하는 제도가 있다고 합니다. '디스커버리(discovery) 법'이라고 하더군요. 이런 제도가 우리나라에도 꼭 필요합니다. 법원이 적극적으로 사실을 밝히려는 노력을 해야 합니다. 이런 게 없으면 경제적 약자들은 어디 하소연할 데조차 없어요.

키코공대위 사무차장 민사재판으로는 강제로 은행으로부터 자료를 제출받는 데 한계가 있어서 사기로 고소고발을 했지만 사기라는 것도 입증이 참 어렵다고 하더라고요. 형사고발에 대한 검찰의 결정문을 보니까 결과적으로 '은행이 취한 옵션 프리미엄이 기업의 프리미엄과 14배나 차이가 나게 한 거는 잘못된 것 같긴 한데 그걸 은행이 고의로 그렇게 했다고 볼 수는 없다, 그러니까 사기로까지는 볼 수 없다' 그럽니다. 불완전판매, 즉 설명 의무 소홀 부분은 법원에서 판단할 문제라고 법원한테 떠밀고, 결국 대검찰청까지 갔지만 은행에 무혐의 처분을 내리고 말았습니다.

그 과정에서 담당검사가 옷 벗고 나오는 일련의 사태들이 있었어요. 금융조세조사 2부에 계셨던 검사인데 그분이 키코랑 주가연계증권 사건*이랑 다 맡아 하셨어요. 그런데 키코 수사를 위해 압수수색 영장을 신청했는데 법원에서 기각했습니다. 검사님은 정말 키코는 사기라고 생각하셨고 기소 의지가 강하셨어요. 수사 과정에서 피해 기업들을 직접 만나서 얘기도 많이 나누셨습니다. 그런데 돌연 새 검찰총장님이 오면서 키코가 사기가 아니라는 결론을 내야 한다고 그랬다는 거예요. 실제 압력이 있었는지는 알 수 없지만 이 검사님이 갑자기 한직으로 전보당하셨습니다. 회계사 자격증도 있고 유학도 두 번이나 갔다 오신 유능한 검사분이 공보부로 간다는 게 이해가 안 되잖아요. 결국 사표를 쓰시더라고요.

다른 검사에게 넘어간 우리 키코 사건은 결국 사기가 아니라는

* **주가연계증권 사건** 주가연계증권을 발행하거나 헤지를 담당한 국내외 유수의 금융기관들이 중도상환 또는 만기상환에 따른 손실을 회피할 목적으로 주가연계증권의 기초자산을 대량 매도하는 등의 방법으로 주가를 조작하여 고객에게 막대한 손실을 끼쳤던 사건이다.

결과가 나왔고 은행은 무혐의 처리가 되었어요. 그래도 수사기록들은 어느 정도 남아 있잖아요. 우리가 그 기록이라도 일부 얻고자 해서 행정소송을 했어요.

키코공대위 사무총장 그보다 먼저 정보 공개를 청구했는데 검찰에서 공개할 수 없다고 해서 할 수 없이 행정소송을 한 것이죠.

키코공대위 사무차장 행정소송에서 고등법원이 이런 자료 정도는 공개할 수 있지 않느냐고 했는데 검찰은 대법원까지 가더라도 자기들은 공개 못 한다 이렇게 나오고 있습니다. 그러니까 기업들이 얻을 수 있는 자료가 없어요. 진짜 너무 어려워요. 그나마 검찰에서는 조사를 할 수 있으니까 형사 고소고발을 했던 것인데 저희 사건을 담당한 검사는 이유도 모르는 채 옷을 벗고, 결국 무혐의 처분이 되니까 기록은 다 묻혀버리고, 수사기록을 보여달라고 해도 안 보여주고…. 자료라고 해봤자 팩스로 받은 계약서 한 장 그리고 그 전에 몇 번 왔다 갔다 하면서 상품설명서 받은 것 달랑 두 개를 가지고 있는 기업보고 나머지를 다 입증을 하라니 말이 됩니까? 그럼 정보 공개 신청이라도 받아들여 줘야죠.

금융감독원에서 어떤 식으로든 그 전에 했던 판단에 대한 자료가 나와야지 올바른 재판이 될 거 아니에요. 감사원에서 금융감독원 감사를 해서라도 자료를 받고 싶은데 재판 중인 사안이라서 감사원 감사도 안 된다고 합니다. 우리가 재판 당사자인 은행을 감사해 달라는 것도 아니고 금융감독원에 대해서 당시 관련 기록이 있다면 제출해 달라는 것인데 그것이 안 된답니다.

이혜훈 우리나라에도 디스커버리 법 같은 것이 도입된다고 하면 금융기관들도 앞으로는 조심을 하겠지요.

키코공대위 사무차장 당시에 주고받은 메일 내용, 녹취록 이런 것들을 다 공개해야 돼요. 안 그러면 나중에 다 부인하니까요. 미국에서는 소송이 시작되면 은행이나 이런 데서 관련 자료들을 다 공개해야 되니까 소송들이 공평하게 진행되지요. 긴 소송까지 가지 않아도 그 전에 법정 밖 합의도 가능하고요.

키코공대위 사무총장 미국에서 법원이 금융기관에 모든 자료를 다 공개하라고 그래서 자료를 내면 더 원천적인 잘못이 발견될 수도 있기 때문에 합의하자 해서 법정 밖 합의가 많이 이루어지고 있다고 들었습니다.

이혜훈 정말 그 제도가 도입되면 불공정 계약을 상당 부분 예방하는 효과가 있고 재판도 공정하게 진행되는 데 큰 영향을 줄 수 있을 듯합니다. 법의 진실은 가능한 모든 정보가 다 갖춰진 후에 구축된 진실이어야 할 것입니다. 정보 수집 능력이 없는 사회적 약자들도 법의 강제 정보 청구를 통해 공정한 재판을 받을 수 있도록 제도를 만들어나갈 필요가 있다고 생각합니다.

김화랑 키코 피해기업 공동대책위원회 사무차장

정정식 키코 피해기업 공동대책위원회 사무총장

키코 피해기업 공동대책위원회 2008년 5월 피해 중소기업들의 권리를 지키고 우월적 위상과 막강한 자금력을 지닌 대형 은행들 및 대형 로펌들을 상대하기 위해 설립된 비영리단체로 200여 개 피해 기업들이 회원으로 가입해 있다. 피해 사례 수집, 관련 정보 수집 · 제공, 민 · 형사 소송 지원, 전문가 자문 제공, 정부 기관 접촉 및 대국민 홍보 등의 활동을 하고 있다.

금융시장 잔혹사

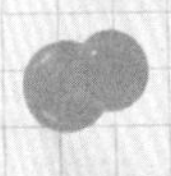

빈발하는 금융사고

한국 금융시장에서는 2000년대 이후 투자자들이 큰 피해를 입은 사건들이 적지 않게 발생했다. 1997년 외환위기 이전에는 금융시장이 국내에 한정되어 있었고 변동성도 낮았던 데다 은행은 사실상 정부의 정책자금을 집행하는 역할을 했기 때문에 은행이 도산할 가능성이 희박했다. 그런데 외환위기 이후 한국의 금융시장이 거의 완전 개방되면서 해외 투자가 늘어나는 한편 외국 금융기관들이 개발한 정체불명의 금융상품들이 앞다투어 들어오면서 각종 사고가 발생하기 시작했던 것이다.

대표적인 예가 펀드(fund)다. 펀드는 증권회사와 같은 자산 관리 전문가가 투자금을 신탁받아 주식, 채권, 부동산 등에 투자하여 그 이익금을 되돌려주는 투자신탁 금융상품이다. '펀드 안 들면 바보' 소리를 듣던 2000년대 중반에는 브릭스(BRICs. 영어로 브라질, 러시아, 인도, 중국의 머리글자를 합성한 단어) 펀드, 중국 관련 펀드 등에 가입했다가 큰 손해를 보고 원금 회복에 대한 미련 때문에 해지도 못 한 채 지금까지 애를 태우는 투자자들이 수두룩하다. 중국 주식에 투자하면서 환율 변동 위험을 헤지해야 한다고 해서 헤지 상품에 가입했더니 주가는 속절없이 떨어지는데 헤지 수수료까지 들어가 거의 깡통이 된 경우도 있고, 그 정도까지는 아니라도 오랫동안 손해가 많이 나서 울며 겨자 먹기로 펀드를 유지하고 있는 사람들이 많다. 이런 이유로 자산운용 업계에서는 "은행이 부실해지면 갑자기 대규모로 예금을 인출하는 '뱅크 런(bank run)'처럼, 중국 · 브릭스 펀드가 마이너스 수익률에서 벗어나는 순간 모든 펀드 가입자들이 펀드 가입을 해지하는 '펀드런' 대란이 일어날 것"이란 우려가 있다.

2008년 금융위기 때는 파생상품 키코 때문에 중소기업과 개인에게 엄청난 손해가 발생했다. 레버리지가 컸기 때문에 손해 규모가 그만큼 커진 것이다.

이들 투자자들의 상처가 낫기도 전에 2011년 2월에는 부산저축은행을 비롯한 21개 저축은행들이 무더기로 영업정지를 당하는 사건이 발생했다.

저축은행은 1972년 사채에 허덕이던 기업들을 구제하기 위해 긴급명령으로 내려진 '8 · 3 사채 동결 조치' 이후 사금융을 양성화하기 위해 상호신용금고법이 제정되어 탄생한 상호신용금고의 후신이다. 이들의 본업은 일반은행에서 돈을 빌리기 어려운 서민과 중소기업을 대상으로 금융서비스를 제공하는 것이었으나 1998년 일반은행에 대한 대출 규제 완화로 인해 대출시장의 경쟁이 치열해져 수익성이 악화되기 시작했다. 2006년 정부는 저축은행에 대해서 국제결제은행(Bank for International Settlements, BIS) 기준 자기자본비율(은행이 위험자산에 대해 최소 8% 이상의 자기자본을 유지하도록 하는 규정)이나 불량채권 비율에 대한 규제를 완화해 주었다. 그러던 중 부동산이 호황을 누리자 저축은행들은 프로젝트 파이낸싱(Project Financing, PF)에 집중하기 시작했다. 프로젝트 파이낸싱이란 금융기관이 특정 건설 사업의 수익성을 담보로 자금을 제공하고 그 수익을 회수하는 금융기법이다.

2009년부터 부동산 거품이 꺼지기 시작하자 저축은행들의 프로젝트 파이낸싱 대출은 고스란히 부실로 누적되었다. 여기에 경영진들의 전횡과 부정행위가 더해져 저축은행의 부실은 돌이킬 수 없는 상황으로 악화되고 말았다. 결국 2011년 예금 인출에 응할 자금이 부족한 데다 자기자본이 완전히 잠식된 상태에 이르러 금융위원회로부터 영업정지를 당하게 된 것이다.

이로 인해 21개 저축은행의 예금자들은 물론 이들 은행의 후순위채권에 투자한 사람들도 엄청난 피해를 입었다. 후순위채권은 채권을 발행한 기관에 문제가 생겼을 때 여러 가지 채권 가운데서도 말 그대로 가장 후순위로 밀리는 채권이기 때문에 5000만 원까지 보호되는 예금과는 달리 발행한 저축은행이 도산하면 휴지조각이 되어버린다. 이러한 후순위채권으로 피해를 본 사람은 모두 2만 2100여 명, 피해액은 7366억여 원으로 집계되고 있다.

또 2013년에는 동양그룹과 LIG건설이 기업회생절차를 신청함에 따라 이들 기업이 발행한 기업어음에 투자한 사람들이 큰 피해를 입었다. 그 규모는 저축은행 후순위채권 피해자들의 2배가 넘는 1조 6000억 원에 이른다.

그런데 저축은행이나 동양그룹 사태 등 대형 사고가 터졌을 때 TV 화면을 보면 주목할 만한 점이 있다. 화면의 대부분을 중, 장년층이나 아주 나이가 많은 노인들이 차지하고 있는 것이다. 2012년 저축은행 후순위채권 불완전판매 신고 민원을 연령별로 분류해 보면 60세 이상이 전체 피해자의 절반가량에 이르는 것으로 나타났고(42.6%), 동양증권 기업어음 투자자도 60대 이상이 22.4%에 달했다. 유독 60세 이상 노령층 피해자가 많은 이유가 무엇일까?

2008년 금융위기 이후 시중 금리가 대폭 떨어지자 이자나 배당 등 금융소득으로 살고 있던 노인계층이 크게 불안해졌다. 이자를 받아서 생활하기가 어려워진 것이다. 자연히 금융기관에 가서 이자를 좀더 많이 받는 것이 없는지 의논했을 것이고, 금융기관들이 '고수익률'로 포장된 후순위채권이나 기업어음, 파생상품을 노인들에게 팔기 시작한 것이다.

그런데 고령의 노인들은 이 같은 금융상품이 가지는 잠재적 위험을 판단할 능력이 없는 사람들인 경우가 많다. 고령의 노인들뿐만 아니라 주부들에게도 여러 가지 위험 요소가 잠재해 있는 펀드나 금융상품의 복잡한 내용을 이해하기란 어려운 일이다. 그렇기 때문에 '기대수익률'이 높다는 말에 혹해서 계약하는 경우가 적지 않다는 것이 각종 금융소비자 피해를 접수해 온 소비자 단체들의 지적이다.

은행이 은행다운 금융

그나마 펀드나 기업어음은 증권회사에 직접 가서 가입하기 때문에 투자자들이 적어도 '자기 발로' 가서 '예적금이 아닌 투자상품'을 매입한다는 사실 정도는 인지했을 것이다. 정말 심각한 것은 위험한 금융상품을 은행에서 매입한 사람들의 경우다.

우리나라 사람들, 특히 고령층에게 은행은 '안전하고 믿을 만한 금융기관'이라는 이미지가 강하다. 부지런히 일해서 번 돈을 은행의 예적금으로 맡겨두면 꼬박꼬박 이자가 붙는다. 평생을 그 이자로 생활해 온 노인들에게 은행은 친근한 이웃이나 다름없는 것이다. 그런데 2000년대 이후 '금융 규제 해제, 금융시장 자율화'라는 명목으로 은행이 돈을 빌려주고 예치하는 전통적인 은행 업무 외에도 유가증권 매매와 같은 증권 업무도 함께 하는 유니버설 뱅킹 시스템(Universal Banking System)이 도입되고 조금이라도 더 이익을 내기 위해 본연의 역할을 망각하기 시작하면서 문제가 발생하기 시작한다. 예전에는 기업이나 개인에 대한 은행들의 횡포라고 해봐야 대출을 해주면서 그 대출의 일부를 은행예금으로 강제로 유치하는 '꺾기'나, 보험을 강제로 가입하도록 하는 정도였는데 키코 사태에 이르러서는 700여 개나 되는 수많은 중소기업들을 부도와 파산의 늪으로 몰아가는 지경에 이르고 만다.

또한 수많은 거래 고객들에게 파생상품을 구조화한 위험한 금융상품을 판매했다가 엄청난 손해를 발생시킨 은행이 문제가 되기도 했다. 이 은행은 초등학교밖에 안 나온 노인에게까지 그 위험하고 복잡한 금융상품을 판매해 큰 비난을 샀다. 모두 은행이 판매수수료 수입을 높이기 위해 증권회사의 상품을 창구에서 팔게 되면서 벌어진 일이다.

서울 서초구 양재동 옛 화물터미널 자리에 총 사업비 3조 4000억여 원을 들여 지으려던 복합유통센터, 일명 '파이시티' 사업펀드가 대표적인 사례이다. 우리은행은 2007년 연 7.9%의 수익률을 약속하며 1400여 가입자들에게 1900억 원의 특정금전 신탁상품을 판매하였으나 2013년 말 현재 이 상품에 가입한 개인 투자자들은 배당금은 고사하고 원금의 30%도 회수하지 못할 지경에 이르렀다. 참여연대와 '우리은행-파이시티 특정금전 신탁상품 피해자모임'은 "우리은행은 파이시티 사업에 투자할 금융상품을 나라가 망하지 않는 한 안전한 상품이라고 선전하며 불완전판매를 저질렀지만 결국 파이시티 사업은 망했다"며 "동양그룹 사태와 본질이 같은데도 금융감독원이 사실상 손을 놓고 있는 것은 금융소비자를 기만하는 행위"라고 주장하고 있다.

파이시티 투자로 인한 엄청난 손해에 개인 투자자들은 지금까지도 피눈물을 흘리고 있는데, 당시 '투자회사도 울고 갈 정도로' 위험한 상품의 판매에 앞장섰던 시중 은행의 은행장과 임직원들은 고액의 성과급을 거둬들였다. 시중 은행들이 비상식적 수준의 외형 성장을 추구한 이유가 바로 잘못 설계된 은행 임직원 인센티브 때문이었다는 지적이 설득력을 얻고 있는 이유다. 파이시티의 경우 그 와중에 부당이득을 취한 정치인까지 있어 악명을 더했다.

꼭 고령의 노인이 아니더라도 은행을 찾아온 고객들은 기본적으로 은행에 대해 '무한 신뢰'를 하는 경향이 있다. 은행에서 파는 금융상품은 예적금과 비슷하다고 생각한다. 설령 좀 위험한 상품이라고 설명을 해줘도 수익률과 이자율의 차이도 잘 모르는 상태에서는 수익률이 얼마라고 하면 그걸 이자라고 받아들이기 일쑤다.

저축은행 사태는 은행에 대해 사람들이 가지는 막연한 신뢰의 맹점이 악용된 사건이었다. 앞서 말한 바와 같이 저축은행은 일반은행과 비슷한 역할을 하지만 일반은행과 달리 내부 규정이나 금융감독 규정이 까다롭지 않다. 그런데도 '은행'이라는 말이 붙어 있고 은행과 비슷한 업무를 하니까 사람들은 저축은행도 일반은행과 비슷한가보다 하고 생각하는 경향이 있었다. 그래서 저축은행과 거래하던 예금자들이 더 높은 이자를 받을 수 있다는 말에 후순위채권이 어떤 것인지, 어떤 위험성을 가지고 있는지 잘 모르면서 권유에 따라 매입했다. 저축기관이 판매하는 금융상품이니 그냥 이자율이 더 높은 예적금 종류이겠거니 했다가 저축은행의 무더기 도산으로 큰 손해를 입은 것이다.

한 가지 다행인 점이라면 키코 사태와 달리 저축은행 후순위채권 피해자의 경우 금융소비자가 소송에서 이기는 경우가 늘고 있다는 것이다. 2013년 11월 후순위채권 투자자들 가운데 삼화저축은행 피해자들이 낸 손해배상 청구 소송의 첫 판결에서 법원이 투자자의 손을 들어주었다.

서울중앙지법 민사합의32부(부장판사 이인규)는 삼화저축은행 후순위채권 피해자 24명이 삼화저축은행, 대주회계법인, 금융감독원, 국가를 상대로 제기한 손해배상 청구 소송에서 '삼화저축은행은 청구한 19억 원의 70%인 13억 원을 배상하라'고 원고 일부 승소 판결했다. 정확하지 않은 재무제표를 제출한 대주회계법인에는 청구 손해액의 20%에 해당하는 배상 책임이 있다고 밝혔다.

법원이 투자자의 손을 들어준 것은 증권신고서와 투자설명서에 허위 사실을 기재한 사실 때문이었다. 삼화저축은행은 후순위채권을 발행하기 위하여 2007년과 2008년 재무제표를 조작했는데, 자본시장법상 증권신고서에 중요 사항을 거짓 기재하면 배상 책임을 져야 한다. 채권을 발행하기 위해서는 바른 정보를 투자자들에게 제공해야 하는데 이 부분을 속인 점이 문제가 된 것이다. 저축은행의 무더기 영업정지로 피해를 입은 후순위채권 투자자에 대한 첫 판결이어서 이 결과에 따라 다른 저축은행에 대한 소송이 계속될 것으로 보인다.

그러나 저축은행의 회계 조작 책임을 물어서 법원이 투자자의 손을 들어주었다고 하더라도 현실적으로 청산되는 저축은행의 잔류 채권들이 얼마나 배당을 받을 수 있을지는 의문이다. LIG 기업어음 피해자들도 그룹 회장이 사재를 출연하고 LIG그룹이 투자자 전원에게 피해를 보상할 계획을 발표함에 따라 구제의 가능성이 높아졌다.

키코 사태나 은행 창구에서의 파생상품 판매 사건, 저축은행 사태 등 지금껏 벌어진 '금융 잔혹사'에서 우리 사회와 정부가 명백한 교훈을 얻어야 한다.

첫째, 은행은 은행다워야 한다. 은행이라는 보수적 금융기관에서는 일반인들이 은행에 대해서 가지는 인식을 훨씬 넘어서는 지나친 영업행위, 위험한 금융상품이 판매가 있어서는 안 된다. 은행을 믿는 '순진한' 투자자들 때문에 거의 예외 없이 수많은 피해가 발생하고 그 피해의 대부분은 평생 은행밖에 이용할 줄 모르는 금융 약자들이 전부 져야 하기 때문이다.

둘째, 은행을 제외한 기타 여수신 기관에 대해서는 엄격한 감독제도를 도입해야 한다. 수많은 지역 여수신 금융들을 주로 이용하는 사람은 시장에서 열심히 장사하는 사람, 주부 등 평범한 일반인들이며 일반은행과 저축은행, 새마을금고와 신용협동조합 등 기타 여수신 기관들 간의 차이를 잘 모른다. 이들이 그런 차이를 몰라도 되도록, 금융기관이 도산할 위험을 의식할 필요 없이 열심히 일만 하면 되도록 감독할 책임은 분명히 정부에 있다.

정부는 보호해야 할 금융 약자가 누구인지 먼저 파악하고 어느 부문에 금융감독의 역량을 집중해야 할지를 판단해야 할 것이다.

금융소비자 보호의 첫걸음

선진국 수준의 투자자 보호 법규

우리나라 자본시장법의 내용을 보면 투자자 보호에 대해서는 선진국과 비슷한 수준으로 법규가 마련되어 있다. 법 자체가 선진국 법을 원용하고 있다고 하는 편이 맞을 것이다. 예를 들어 투자자 보호 원칙 가운데 가장 중요한 원칙이 적합성과 적정성이다. 한마디로 금융상품을 판매할 때는 고객이 해당 금융상품에 적합한 사람인지를 먼저 파악해서 적정한 방식과 절차를 거쳐 판매하라는 것인데 자본시장법에는 이 내용이 이미 구체적으로 들어가 있다.

이에 따르면 금융기관은 일단 투자자를 '일반투자자'와 '전문투자자'로 구분하여야 한다. 전문투자자는 펀드 매니저, 금융기관 투자 담당직원, 기업의 투자 담당직원 들처럼 적정한 금융지식을 갖추고 현장이나 실무를 통해 해당 금융상품이 가지는 잠재적 위험을 충분히 알고 있으며 그 위험을 적절히 관리하여 은행금리보다는 높은 수익을 얻고자 하는 사람이다. 일반투자자는 이 같은 전문투자자를 제외한 사람들인데 문제는 일반투자자들의 금융지식과 위험에 대한 인식이 천차만별이라는 것이다.

자본시장법은 이런 문제에 대해서도 금융회사가 면담, 질문 등을 통해 고객의 금융지식 및 위험감수에 대한 태도, 위험감수 능력 등을 파악하는 '고객 파악 규칙'을 지키라고 적시하고 있다. 즉 금융회사가 투자자에게 상품을 권유하기 전에 투자자의 재산 상태 및 전문지식 정도, 그 이전에 동일한 상품에 투자했는지 등을 사전에 파악하여야 한다.

자본시장법은 또 고객에 대한 분석이 끝난 후에는 반드시 금융상품의 내용과 구조, 기대수익률, 위험, 운용수수료 등의 비용, 조기상환 조건, 계약의 해제와 해지에 대해 자세히 설명해 주어야 한다고 규정하고 있다. 이 같은 내용을 제대로 설명하지 않았다가 손해가 발생한 경우는 금융회사가 배상해 주어야 한다고 명시적으로 밝히고 있다.

부당권유금지 조항도 마련되어 있다. 불확실한 기대를 마치 확정된 수익률인 것처럼 권유해서는 안 되며 투자자가 요청하지 않은 방문이나 전화로 하는 권유를 금지하고 투자자의 의사에 반하는 재권유도 금지된다.

법이 지켜지지 않는 현실

그렇다면 법에 이렇게 명백한 투자자 보호 조항이 다 갖춰져 있는데 왜 잊을 만하면 온갖 대형 금융사고가 터지는 걸까? 대형 금융사고의 내용을 자세히 들여다보면 법에 규정된 이 같은 원칙이 전혀 지켜지지 않는 경우가 대부분임을 알 수 있다. 인과관계를 좀더 정확히 표현한다면 법이 명시한 내용을 금융회사가 지키지 않기 때문에 대형 사고가 발생하는 것이다.

초등학교를 겨우 졸업한 노인에게 키코와 유사한 금융상품을 팔았던 은행의 사례를 살펴보자. 이 노인은 기대수익률과 이자율의 차이도 제대로 몰랐다. 어느 날 평생 거래하던 은행에 갔더니 창구직원이 "할아버지, 그냥 예금에만 넣어두지 마시고요, 수익이 더 높은 금융상품이 있으니 그걸 하시면 어때요"라고 '권유'를 했다. 그런데 환율이 하락한 것이 아니라 갑자기 급등하는 바람에 할아버지는 엄청난 손해를 봤다. 피땀 흘려 평생 모아온 돈, 노후를 의지해야 할 이 돈이 하루아침에 대부분 사라져버린 것이다. 문제가 터진 후 은행 측은 '약정이자'라고 하지 않고 '수익'이라고 표현했고 강요한 것이 아니라 단순 권유만 했는데 할아버지가 받아들인 것이라면서 변명을 했지만 이 할아버지가 (기대)수익과 이자의 차이를 알았을까? 은행만 거래했던 이 할아버지는 '그냥 이자 더 주는 무슨 예금이 있나보다' 이렇게 생각했다고 한다.

비슷한 시기에 정부 산하의 한 연구기관 역시 옵션 구조가 포함되고 기초지수가 특정 회사 주가에 연계된 주가연계증권에 투자했다가 출연금의 50% 이상을 날리는 일이 있었다. 기관에서 재무를 책임진 사람도 잘 모르는 것을 이 할아버지가 알 리가 없었을 것이다. 한마디로 법이 정하고 있는 적정성, 적합성 원칙이나 설명의 원칙 등이 전혀 지켜지지 않은 것이다.

2008년 금융위기 이전까지는 투자자 보호에 대한 인식이 희박했다. 우선 확정이자가 주어지지 않는 금융상품에 가입하거나 매입한 사람은 보호가 필요한 금융소비자나 금융약자가 아니라 '투자자'라는 인식이 강했기 때문이다. 그러나 2000년대 들면서 한국 금융시장이 글로벌 시장에 편입되어 동조화되면서 금융시장이 불안정해지고 복잡한 구조에다 위험하기까지 한 금융상품이 '금융공학'이라는 그럴듯한 이름하에 엄청나게 많이 만들어지기 시작했다. 문제의 상품을 팔고 있는 금융회사 직원도 정확하게 내용을 모르는 사태가 발생한 것이다. 설령 금융회사들이 제대로 설명을 해주었다고 하더라도, 투자자들이 이를 제대로 파악했는지도 문제가 된다. 또한 전통적으로 보수적 금융기관인 은행에서 투자상품을 판매하기 시작하면서, 위험을 싫어하고 금융지식이 상대적으로 약한 사람들이 투자상품을 마치 예적금처럼 생각하고 가입하는 일이 늘어났다.

정부는 대형 금융사건사고가 터질 때마다 다시는 이런 일이 벌어지지 않도록 하겠다고 공언해 왔지만 대부분 일회성 대책에 그치고 있다. 2013년 말 동양그룹 사태가 터지자 금융위원회가 발표한 '금융소비자 보호를 위한 불합리한 금융관행 개선 추진안'은 이미 자본시장법에 명시된 내용을 다시 언급하고 있는 것에 불과하다. 예를 들어 "금융회사 직원이 60세 이상 고령층과 은퇴자, 주부 등 금융취약계층에게 금융상품을 팔 때 불이익사항을 다른 정보보다 먼저 설명하고 반드시 이해했는지를 확인하도록 해서 투자자의 금융상품에 대한 이해 수준과 투자 목적, 투자 경험 여부를 분석하라는 것인데 이는 앞서 설명한 자본시장법의 내용과 동일하다. 금융위원회는 또 '금융소비자보호모범규준'을 개정하고 2014년 초까지 금융회사 내규에 반영해 시행하도록 할 예정이라는데, 법이나 규제가 없어 금융사고가 반복적으로 터지는 것이 아니라는 것이 문제다.

진정으로 금융소비자를 보호하려면 금융기관의 인식이 바뀌어야 하고 이미 있는 법이라도 철저히 지키려는 의지가 더 중요하다. 금융감독당국은 금융회사가 편법이나 탈법을 해서라도 매출을 늘리려는 유혹을 느끼지 않도록 지속적으로 감독해야 한다. 미스터리 쇼핑* 등을 통해 자본시장법상의 소비자보호 조항이 제대로 지켜지고 있는지를 파악해야 하고 내부모범규준이 제대로 갖춰져 있는지, 내부규준을 지키려는 의지가 경영 상층부에 확고하게 있는지 등을 면밀하게 살펴서 평생 모은 돈을 위험한 곳에 투자해서 한 번에 날리는 비극적인 사태가 더 이상 발생하지 않도록 해야 할 것이다. 또 금융교육 등을 통해 금융지식을 높이고 잘못된 투자 판단을 하지 않도록 학생들과 일반인들을 도와야 할 의무가 금융감독당국에 있다.

전자통신금융 사기 피해

금융기관의 도덕적 해이와 감독당국의 허술한 관리로 인해 고통을 받고 있는 것은 투자자뿐이 아니다. 그야말로 눈 뜬 사람 코 베어가는 전자통신금융 사기로 인한 금융소비자들의 고통 또한 만만치 않다.

서울 방배동에 사는 주부 서 씨는 인터넷 검색 포털에서 은행을 검색한 뒤 사이트에 접속했다. 그러나 서 씨가 접속한 홈페이지는 은행을 가장한 피싱 사이트(가짜 홈페이지)였다. 피싱

* 미스터리 쇼핑(Mystery Shopping) 서비스 조사원이 일반 고객으로 가장해 매장 직원이 서비스 조사원임을 눈치채지 못하게 함으로써 객관적인 조사를 수행하는 서비스 평가 방법.

(phishing)은 전자우편, 메신저 등을 신뢰할 수 있는 사람 또는 기업이 보낸 것처럼 가장함으로써, 비밀번호 및 신용카드 정보와 같이 기밀을 요하는 정보를 부정하게 얻어내는 컴퓨팅 기법으로, 복잡한 미끼를 사용해서 사용자의 개인정보를 '낚는'다는 의미에서 개인 데이터를 뜻하는 'private data'와 낚시를 뜻하는 'fishing'을 합성한 말이다. 이 같은 사실을 알지 못한 서 씨는 보안등급 강화를 위한 것이라며 팝업창에 계좌번호, 비밀번호, 보안카드번호 등을 입력하라는 공지가 뜨자 별다른 의심 없이 그대로 따라 했다. 그날 서 씨 계좌에서는 5회에 걸쳐 5400만 원이 사라졌다. 피싱 사이트에 속아 사기범에게 금융거래정보를 고스란히 공개한 탓이다.

보이스피싱은 2000년대 초반 대만에서 시작됐는데, 대만 사기조직이 한국, 일본 등 주변 국가로 진출하면서 2006년경부터는 국내에서도 피해자가 속출하기 시작했다. 이들 사기조직은 대만, 중국 등에 콜센터를, 한국에는 인출 · 환전 · 송금 조직을 둬 국내에서 인출 송금이 돼도 해외로 바로 돈이 나가버리기 때문에 추적할 수 없도록 했다. 중국 공안에 따르면 중국 본토에서 단속이 강화되면서 사기 조직들이 거점을 대만이나 태국 등으로 옮겨가고 있다.

보이스피싱 범죄는 통상 4가지 형태로 요약된다.

첫 번째는 수사 · 공공기관을 사칭해서 피해자를 낚는 방식이다. 피해자 명의로 된 대포통장이 범죄에 이용됐다거나, 피해자의 계좌가 범죄에 연루돼 안전조치가 필요하다고 속인다. 세금 · 보험료 등을 환급해 준다며 ATM(현금자동인출기)으로 유인하기도 한다. 경찰 · 금융기관을 사칭해 피해자에게서 보안카드나 공인인증서 암호를 알아낸 다음 피해자의 신용카드로 카드론(카드대출)을 받아 빼내가는 수법도 많았다.

두 번째는 자녀가 납치됐다거나 사고를 당했다고 하면서 급하게 송금을 요구하는 방식이다. 범죄 사기단이 사전에 입수한 신상 정보를 이용해 학생이나 군 복무자 등의 부모에게 전화를 걸어 거액을 요구하는 방식이다.

세 번째는 메신저 피싱이다. 네이트온 등 PC 메신저 정보를 해킹해 로그인한 뒤 대화창 또는 쪽지를 이용해 피해자의 지인에게 송금을 요청한다. 대학에 추가 합격했다며 등록금을 이체하도록 유도하는 사기도 적지 않았다.

이외에도 인터넷뱅킹 도중 수취 계좌번호를 무단 변경해 다른 계좌로 돈이 들어가게 하는 '메모리해킹', 스마트폰에 돌잔치 초대 등의 메시지를 보내 악성코드를 심어 돈을 빼가는 '스미싱' 등 갈수록 수법이 다양해지는 추세다.

보이스피싱은 크게 3가지 형태로 진화할 것으로 예상된다. 만기 도래하는 대출 거래자, 아파트 분양자의 정보를 캐낸 뒤 대출금 상환 또는 분양대금 입금을 유도하는 수법, 여론조사를 하는 것처럼 전화 통화를 하고 난 다음 다시 전화를 걸어 참여자 이벤트에 당첨됐다며 경품 수령 비용 명목으로 자금 이체를 유도하는 방법, 카드론 외에 비대면(非對面) 대출상품을 활용한 금융사기 등이다. 특히 은행 창구를 통하지 않고 고객이 직접 가입하는 비대면 대출상품의 경우 금융거래에 필요한 개인정보를 미리 알아내기만 하면 상품 해지 등을 통해 쉽게 돈을 빼돌릴 수 있다. 2012년 스마트뱅킹용 예적금 등 비대면 상품 시장은 10조 원을 넘어서며 빠르게 성장하는 중이어서 사기범들이 눈독 들일 소지가 크다.

보이스피싱보다 한 세대 더 진화한 가짜 홈페이지 금융사기인 '파밍(pharming)' 또한 피해자를 늘려가고 있다. 파밍은 이용자가 인터넷 즐겨찾기 또는 포털 사이트 검색을 통해 금융회사 등의 정상 홈페이지 주소로 접속해도 피싱 사이트로 유도해 금융거래정보 등을 유출하는 신종 인터넷 금융사기 기법이다. 최근까지 수많은 피해를 입혔던 피싱보다 한결 교묘한 수법이 등장한 것이다. 피싱은 이용자가 이메일 등에 링크된 인터넷 주소를 클릭했을 경우 PC에 악성코드가 설치되면서 개인정보가 유출되는 방식이어서 사전에 어느 정도 예방이 가능한 반면 파밍은 정상 홈페이지에 접속하는 과정에서 발생하기 때문에 아무리 주의를 해도 알아채기가 쉽지 않다.

금융회사는 특정 인터넷 사이트에서 개인정보와 금융거래정보 등의 입력을 요구하지 않는다. 그러므로 보안카드 일련번호와 코드번호 전체를 입력하라고 한다면 일단 보이스피싱을 의심해야 하지만 아직 일반인들에게는 충분히 경고가 되지 않고 있는 상황이다.

초기에는 세금 · 보험금 환급을 빙자한 사기가 유행하다가 납치 · 협박 등 공포심을 유발하는 방식을 거쳐 자동응답전화(ARS)를 이용한 카드론 피싱 등으로 이어지더니 이젠 파밍에 의한 피싱 사이트까지 등장했다. 개인정보 탈취 수단 역시 전화, 문자메시지, 이메일, 해킹 등 그야말로 언제 어디서 정보를 유출당할지 모르는 상황이다. 아예 휴대전화도 안 쓰고 폰뱅킹, 인터넷뱅킹, 신용카드, ATM은 물론 은행 거래 자체를 안 하면 모를까 전자금융을 이용하는 한 누구도 이러한 위험에서 안전하다고 보기 어려운 것이다.

정보사회의 균형 발전을 위한 개인정보 보호

이처럼 정보통신기술의 발달로 전자금융, 전자상거래, 전자행정 등이 활성화되면서 보이스피싱과 같은 전자 사기 범죄는 갈수록 더 지능화 · 고도화될 수밖에 없다. 이런 고민에서 나온 것이 2005년 발의한 '개인정보보호법'이었다. 초선 시절 대표

발의한 이 법은 관할 부처 다툼으로 결국 17대 국회에서는 통과되지 못하고 재선이 된 18대 국회에서 통과되었다.

당시는 인터넷이 한창 활성화되어 정보통신기기의 보급이 확대되고 전자정부가 추진되는 등 사회 각 분야에서 개인정보의 수집 · 처리가 급속히 확대되고 있었다. 하지만 법에 의한 개인정보 보호는 특정 분야에 한정되어 있어 사회 전반에 걸쳐 광범위하게 수집 · 처리되고 있는 다양한 형태의 개인정보를 적절히 보호하지 못하고 있었다. 이로 인해 일부에서는 개인정보 보호가 특별히 강조되고 있던 반면 다른 쪽에서는 아무런 제한 없이 개인정보가 수집 · 사용되고 있어 사회 각 분야의 개인정보 처리에 대하여 공통적으로 적용될 수 있는 원칙과 기준의 제시가 시급했다.

이에 따라 개인정보의 오남용과 비밀감시로부터 정보주체의 자유와 권리를 보호하고 동시에 개인정보의 적정한 활용을 보장함으로써 정보사회의 균형적인 발전이 이뤄지도록 하는 데 초점을 맞춰 제시된 대책이 바로 '개인정보보호법'이었다.

하지만 정부 · 공공기관이 공무상 필요에 의해 수집한 개인정보를 무단으로 열람하고 유출하는 일이 빈번히 일어났다. 이러한 개인정보를 보호할 의무를 규정하는 법률이 효과가 없었던 것이다. 우리나라 국민 90%의 개인정보가 보관 · 관리되고 있는 국민건강보험공단에서 지난 2007년에만 무려 53명의 직원이 가입자의 개인정보를 무단으로 열람하거나 유출하여 징계를 받았음에도 불구하고 시정되기는커녕 2008년 1~5월 사이에 또 12명의 직원이 같은 사안으로 징계를 받았다. 공공기관 직원들의 개인정보 무단 열람 및 유출 문제를 개선하기 위해서는 별도의 장치가 필요하다는 방증이었다.

이 같은 문제를 개선하기 위해 공공기관의 개인정보 처리 과정에 대한 기록과 그 보존기간을 법률에 명시하도록 하여 법적 근거를 마련하고 개인정보 무단 열람 및 유출 등의 사고를 방지하기 위해 '공공기관의 개인정보보호에 관한 법률 일부 개정법률안'이 공동 발의되었다. 이에 따라 공공기관이 개인정보를 이용할 때는 그 내용과 사용한 주체 및 일시, 사용한 개인정보파일의 명칭과 사용단말기 등이 컴퓨터에 자동으로 기록되고 일정 기간 동안 그 기록이 보존될 수 있게 되어 오남용을 어느 정도 방지하고 오남용에 대한 책임을 구체적으로 물을 수 있게 되었다.

그러나 이러한 제도적 장치만으로는 고도로 정보화된 현대사회에서 개인정보 유출에 따른 심각한 피해를 줄이기에는 태부족이다. 금융기관이나 통신사 등이 개인정보에 대해 이중 삼중의 보안장치를 하도록 하고 금전거래가 동반될 때는 무조건 본인에게 확인을 거치도록 의무화하는 등의 더욱 강력한 장치를 마련할 필요가 있다.

금융소비자보호원에 대한 단상

2014년에는 금융소비자보호원이 설치될 예정이다. 금융소비자보호원 신설 문제는 지난 2008년 금융위기 이후부터 전 세계적으로 등장한 쟁점이다. 쓰나미처럼 닥친 금융위기 이후 너무나 큰 소비자 피해가 발생하자 금융상품의 복잡성과 금융시장의 정보 비대칭을 감안해 투자자를 금융소비자로 간주하여 보호한다는 취지에서 미국, 영국, 캐나다 등 금융선진국에서 금융소비자보호기관이 속속 설립되었다. 우리나라에서는 기존의 감독기관 내부에 두느냐 아니면 그로부터 분리해서 예산과 인사권을 독립적으로 갖는 쌍봉형으로 하느냐를 놓고 논란이 벌어졌는데 2013년 6월 박근혜 대통령이 독립적 쌍봉형을 지시하면서 외부 분리가 확실시되었다.

그러나 금융소비자보호원 설립을 둘러싼 논란은 또 있다. 가장 문제가 되는 것이 금융소비자보호원의 권한 범위를 어떻게 조정할 것인가이다. 여기에 대해 각 기관마다 입장과 이해관계가 다르다.

금융감독원은 당연히 금융소비자보호원의 기능에 제한을 두어야 한다고 주장한다. "금융소비자보호원이 설립된다면 금융분쟁조정, 금융교육, 민원조사 수준으로 권한이 한정돼야 한다"고 완강한 입장이다. 금융업계도 "소비자 보호라는 명목으로 금융소비자보호원이 모든 문제에 다 간여하기 시작하면 똑같은 일을 하는 시어머니가 두 명으로 늘어나 우리나라 금융산업은 대폭 위축될 것이다"며 금융소비자보호원에 대해 호의적이지 않다.

실제로 분리 초기에는 금융감독원과 금융소비자보호원 간에 업무영역을 더 많이 확보하기 위한 세력 다툼, 영역 다툼이 불가피할 것으로 언론은 예상하고 있다. 실제 수도 없이 많은 업무를 일일이 쪼개서 두 개의 기관에 할당하는 것은 쉽지 않은 일이다. 실효성에 대해서도 의문이 제기되고 있다. 국민의 입장에서도 1997년 외환위기 당시 모든 감독기구를 통합해야 금융위기를 막을 수 있다고 했다가 2008년에는 분리해야 금융위기를 막을 수 있다고 하니 선뜻 믿음이 안 가는 것이 당연하다.

금융소비자보호원 설립 문제 외에도 국회에는 금융소비자 보호 문제와 관련된 수많은 법들이 계류되어 있다. 이러한 법률들이 하루빨리 통과되어 현실에 적용되는 것이 중요하겠지만, 우선 금융감독당국이 금융기관들을 제대로 감시하는 것이 더 필요하다. 금융감독당국은 금융기관들이 제대로 법을 지키고 있는지 부당한 권력을 행사하고 있지는 않은지 살펴서 금융소비자나 힘없는 투자자들이 억울한 피해를 입지 않도록 해야 한다. 또한 새로 생겨나는 금융소비자보호원 독립이 실효성을 가지려면 금융위원회와 금융감독원 조직 전체를 재편해서 금융정책과 금융소비자 보호 기능을 재정비해야 할 것이다.

모르는 사람의 전화를 받을 때마다 보이스피싱인지 아닌지 불안해하지 않아도 되는 세상, 인터넷에 접속할 때 혹시 클릭 한 번 잘못했다가 신용불량자 되는 것은 아닌지 불안해하지 않아도 되는 세상, 악의적 금융사고에 대해서는 법의 보호를 받을 수 있는 그런 세상을 만들려는 것이 '이혜훈이 정치하는 이유'이다.

이혜훈이 만난 사람

보이스피싱으로 인한 금융피해자 모임 회원들

내 개인정보를 모두가 알고 있다

이혜훈 어떻게 피해를 당하셨나요?

회원 1 2011년 11월 2일에 전화 한 통을 받았어요. 경찰서라고 하면서 오늘 신문에 어떤 일당이 검거됐다는 뉴스 봤느냐, 대포통장을 이용해서 보이스피싱 사기를 쳤는데 당신 이름으로 된 대포통장이 그 속에서 발견이 됐다, 그 사실을 알고 있느냐, 당신 정보가 이미 노출됐기 때문에 보안벽을 설치를 해야 된다 그러고는 저에 대해서 얘기를 하는데 남편 본적지처럼 제가 깜짝 놀랄 정도로 자세한 정보들을 말하는 겁니다. 그래서 뭐가 필요하냐 물었더니 어느 사이트에 들어가서 카드 비밀번호 같은 걸 입력을 해야 된다는 거예요. 그 사이트 주소를 치니까 서대문경찰청 사이트가 나왔어요. 정말 똑같이 생겼어요. 나중에 얘기를 들어보니까 똑같이 생긴 걸 베껴서 밑에 링크 하나 덧붙이는 거래요. 그런 걸 제가 당할 거라고 생각하지 않으면 모르는 거죠. 제일 밑에 링크를 클릭해서 주민등록번호 이런 걸 입력하고 그다음에 방화벽을 설치하려면 카드 비밀번호나 이런 걸 입력해야 된대요. 그래서 입력한 거예요. 그랬더니 그 사람들이 인터넷뱅킹 사이트에 들어가서 제 비밀번호를 누르고 카드론을 대출받아 돈을 빼간 거예요.

이혜훈 피해금액이 얼마나 돼요?

회원 1 3300만 원, 카드 한도를 꽉 채워서 받아간 거예요. 카드론 쓸 일이 없으니까 한도 같은 것도 전혀 몰랐거든요. 그 일당을 잡아야 되니까 어쩌고저쩌고 하면서 저랑 계속 통화를 하는 사이에 그게 인터넷뱅킹으로 막 넘어간 거죠. 저보고 방화벽을 설치하는 중이니까 인터넷뱅킹을 당분간 하지 말라고 그랬거든요. 카드 3개를 통해 돈이 나가는 동안 은행은 전화 한 통 안 했어요. 그러다가 잔액이 0원이 되니까 국민은행에서 "고객님, 지금 고객님이 뭘 하셨는지 아세요" 이러면서 전화가 온 거예요. 제가 깜짝 놀라니까 "고객님, 지금 보이스피싱 당하신 거예요, 빨리 경찰에 신고하세요" 하는 겁니다. 경찰이라는 사람한테 당했는데 경찰에 신고를 해야 된다니까 완전히 정신이 붕괴되는 느낌이었어요. 이런 보이스피싱 사기가 2011년 9~11월에 집중적으로 일어났대요.

이혜훈 그 사람들은 지금까지 안 잡힌 거예요?

카드 3개를 통해 돈이 나가는 동안
은행은 전화 한 통 안 했어요.
그러다가 잔액이 0원이 되니까 국민은행에서
"고객님, 지금 고객님이 뭘 하셨는지 아세요"
이러면서 전화가 온 거예요.

회원 1 잡혔는지, 안 잡혔는지도 알 수 없어요. 연락이 전혀 없어요. 경찰은 못 잡는다고 알고 있으라고만 하더라고요. 다 중국에 있는 사람들이어서 처음부터 잡을 수 없는 거라고 자포자기예요. 바닷가에서 바늘 찾는 것 같은 그런 수사인가 봐요. 어쩌다가 그 일행이 다른 사건에 연루되어 잡고 보니까 보이스피싱하고 연결돼 있다더라 이런 식이 아니면 거의 잡기 힘들다고 해요.

사실 은행이 더 문제예요. 경찰서에 신고를 하려면 서류를 굉장히 많이 내야 되는데, 그중에 은행이 내가 피해를 당했다는 걸 입증해 주는 자료가 있어요. 거기에 전화가 온 곳이 대외망이라고 돼 있더라고요. 대외망이라는 것은 전화가 국내에서 들어온 게 아니고 외국에서 들어왔다는 거예요. 그러면 최소한 본인인지 아닌지는 모르겠지만 그 돈을 요청하는 사람이 국내에서 전화를 한 게 아니라는 거는 은행의 말단직원이 모니터만 봐도 알 수 있는 거잖아요. 그런데 돈을 그냥 내줘요. 저한테 나중에 돈을 내놓으라고 요구하면 되니까, 자기들은 손해 볼 거 없다는 거죠. 돈이 나올 사람은 확실하니까 신경 안 쓰는 거죠. 은행이나 카드사나 다 마찬가지예요. 그래서 저는 그날로 바로 은행에 대해서 채무자가 된 거고요. 카드사에서는 그날부터 계속 빚 갚으라고 하고요.

이혜훈 대외망 전화가 와서 이렇게 엄청난 돈이 빠지는데, 그것도 특히 보이스피싱의 가능성이 높은 카드론 형태로 막 돈이 빠져나가는데, 그 사실을 고객한테 통보를 안 한다는 건가요?

회원 2 초기엔 그랬어요. 지금은 이런 문제가 많이 사라지긴 했죠. 예를 들어서 피싱 사이트가 발각되면 전 국민을 대상으로 문자를 보낸다거나, 아니면 경찰에 신고하면 바로 지급 정지를 한다거나 그런 식으로 대응이 달라지긴 했거든요. 그런데 요즘은 금액이 500만 원, 300만 원 이하로 한정되니까 그것만 조금씩만 빼먹고 바로 빠지는 식으로 바뀌었어요. 피싱은 그렇게 진화하고 있는 거죠. 금융사의 가장 근본적인 문제는 카드론이라는 대출서비스예요. 일반대출은 500만 원 이상이 될 때는 대출이 굉장히 까다롭잖아요. 그러니까 은행이나 전업 카드사나 수익사업을 해야 하는데 모든 서류 다 받고 대출하기는 번거롭고 부담스러우니까 신용카드 부가서비스로 카드론을 넣어놓은 거예요. 은행들은 수익사업으로 팔고 끝났으니까 애초에 전혀 신경을 안 써요. 제가 2010년, 2011년에는 금융소비자협회에서 일을 했는데 카드론 보이스피싱 문제가 터지자마자 2011년 말에 금융감독원에서 카드 소지자들에게 모두 다 유선으로 전화를 해서 카드론을 쓸 거냐 안 쓸거냐 확인 전화를 한다고 했거든요. 그런데 혹시 전화 한 번이라도 받아보셨나요? 카드사로부터 "고객님, 카드론 제도를 해지하시겠습니까"라는 전화 받으신 적 없죠?

이혜훈 카드론이라는 게 있는 줄도 몰랐어요. 당연히 전화 받은 적도 없고요. 금융감독원에서 은행이 돈을 내주기 전에 본인 확인을 하도록 의무화하는 게 더 확실한 거 아니에요?

회원 2 그 전까지만 해도 컴퓨터에 연결해서 프로그램을 쓰면 그 발신번호를 112나 경찰서 번호로 바꿔주는 인터넷 전화프로그램이 있었어요. 당시에는 불법이 아니었는데 이제 불법으로 바뀌었어요. 물론 쓰려고 하면 계속 쓰겠죠. 그리고 해외에서 전화가 오면 핸드폰에 해외라고 찍힙니다. 한국이 아니라고 떠요. 그런데 어르신들은 아직도 취약계층이고 또 070전화를 요즘 많이 쓰잖아요. 070전화는 우리나라에서도 070, 미국에서도 070, 어디서든지 같은 번호가 뜨잖아요. 그런 문제가 아직 남아 있는 거죠. 본인 확인도 사실 번거롭고 문제가 많은 면이 있어요. 은행에 가서 돈을 보내는데 예전에는 몇 십억도 바로바로 보냈잖아요. 그런데 지금은 500만 원 한도에 딱 걸려 있고 하니까 은행이 계속 확인을 해야 되거든요.

늘상 쓰던 그 인터넷뱅킹이라는 자체가
나의 돈을 노리는 모든 조직에
노출되어 있는 거예요.
제가 얼마나 허수아비였는지를 깨달았어요.

이혜훈 예를 들면 처음부터 카드계약을 할 때 '나는 건별로 은행에서 확인해 주세요'라는 선택사항을 두어서 처음에 본인한테 선택하게 하면 되죠. '1000만 원 이상은 확인해 주세요'라든지 '1억 이상은 확인해 주세요'라든지 아니면 '아예 100만 원부터 무조건 확인하세요'라든지….

회원 2 아니죠. 그러니까 그 부분이 문제가 되는 거예요. 왜냐하면 나는 보이스피싱을 당해도 확인 안 해도 된다고 얘기하는 걸 지금 제가 선택해야 하는 거잖아요. 그런데 보이스피싱이라는 문제는 사실 금융사의 보안과 관련 있는 거예요. 피해자들이 잘못을 한 경우는 사실 없어요. 이게 제일 중요한 점이에요. 은행이 가지고 있던 정보가 유출이 되면서 내가 알지도 못했던 나의 카드론 정보가 공개된 거잖아요. 정보가 나온 데는 은행이에요. 금융사잖아요. 금융사의 정보 관리가 철저하고 금융사가 철저하게 통제된다면 보이스피싱 문제가 이렇게 광범위하게 나올 수가 없어요. 개인정보가

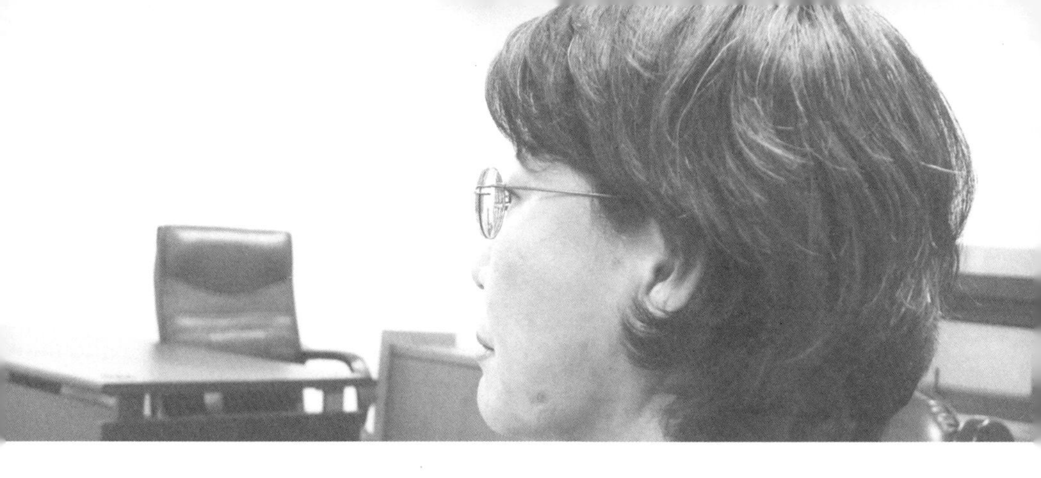

너무 많이 풀려버리니까 보이스피싱이 기승을 부리는 거죠. 그런데 새누리당 입장은 절차적인 문제가 너무 복잡해지면 곤란하다는 것으로 알고 있어요. 일정 금액을 보낼 때마다 일일이 확인해야 하는 불편함이 생긴다는 거죠.

회원 1 제가 보이스피싱 당하고 나서 하나 깨달은 게 있어요. 대한민국에서 예를 들어 뭘 결제할 때마다 제가 비밀번호를 누르지 않으면 이 비밀번호를 알고 있는 사람은 아무도 없다고 믿었거든요. 그런데 제가 당하고 나서 보니까 대한민국에서 나의 개인정보는 모든 금융기관들과 사기꾼들이 다 알고 있는 거예요. 나만 모르고 있는 정보까지도요. 그래서 정작 나 자신은 아무 선택권이 없다는 거예요. 나는 돈을 뜯긴 다음에 이자 내고 추심이나 당하는 존재에 불과하다는 게 가장 충격이었어요. 그러니까 본인 확인 절차를 아무리 신중하게 해봤자 본인 확인 절차를 진행할 수 있는 정보는 다른 데 다 있는 거예요. 직접 진짜 본인을 찾아서 지장을 찍든가 하는 직접 대면 방식 말고는 모든 정보가 다 풀려 있다는 거죠. 저희 카페 회원이 700명 정도로 시작했다가 몇 달 만에 3000명 이상으로 늘어났어요. 카페에 찾아온 대부분의 사람들이 한창 경제활동을 하고 있고 인터넷금융을 이용하면서 직장 다니는 이런 사람들이에요. 그중에는 변호사들도 있었어요. 언론에서는 계속해서 나이든 사람들이 목소리를 잘못 알아듣고 보이스피싱에 걸렸다고 하는데 그게 아니에요. 목소리를 구분하지 못한 게 아니고 늘상 쓰던 그 인터넷뱅킹이라는 것 자체가 나의 돈을 노리는 모든 조직에 노출되어 있는 거예요. 제가 얼마나 허수아비였는지를 깨달았어요. 이게 국가인가, 집 마당에 땅 파고 항아리에다 돈을 넣어두는 게 안전하지 이 나라 어느 기관에 돈을 맡기겠나 하는 생각이 들더라고요.

이혜훈 그래도 본인 확인 절차를 거치는 것과 안 거치는 것 중에 거치는 게 좀더 안전한 거 아니겠습니까?

회원 2 당연하죠. 그게 맞는 말씀인데 예를 들어서 설명하면 이베이(eBay)는 이용하기가 굉장히 간단합니다. 카드 정보 한 번만 넣으면 본인 확인 절차가 끝나거든요. 우리나라처럼 공인인증서가 필요하다거나 그렇지가 않아요. 이유는 간단해요. 우리나라에서 인증절차가 많아지는 이유는 정보가 너무 많이 풀려 있기 때문이에요. 본인이 본인임을 계속 확인해야 돼요. 금융기관도 믿을 수가 없는 거예요. 심지어는 보이스피싱 피해자 중에 공인인증서가 유출돼서 피해를 본 사람들도 많아요. 보이스피싱 사기꾼들 전화를 받고는 직접 ATM기에서 돈을 보낸 피해자들도 있어요. 직접 은행까지 가서 작업을 했는데도 사기를 당하는 거죠.

이혜훈 일단 은행이 뭔가 송금을 할 때 반드시 본인에게 전화를 걸어서 직접 확인을 하도록 의무화하면 조금이라도 도움이 되지 않을까요?

회원 1 얼마 전에 국민행복기금에서 제가 대상자가 됐다고 관련 우편물을 집으로 보내줬어요. 그게 계속 집으로 와요. 처음에 담당자한테 전화 왔을 때는 제가 막 화를 냈어요. 제가 언제 거기에 제 이름 올려달라고 했냐고요. 제가 원하는 건 카드론을 대출받았다는 기록이 사라지는 거거든요.

이혜훈 차라리 카드론을 없애는 게 좋은 방법이겠네요. 본인이 해지하려면 해지할 수 있는 거예요?

회원 1 최소한 카드론이라는 게 신용카드 서비스에 부가적으로 달리지 말아야죠. 카드를 만들 때 내가 아예 카드론을 따로 신청하든가 아니면 거기에 대한 무슨 약관이 있어서 사인을 하든가 아니면

카드론 문제하고 카드사 책임 문제인데
이 부분에 대해서는 손실부담을
같이 해야 되는 거 아니냐
이런 얘기를 해봐야겠어요.

카드론을 쓰겠다고 할 때는 바로바로 전화가 오든가.

이혜훈 카드론이라는 게 포함이 돼 있는지 알지도 못하는 사이에 슬그머니 들어와 있었다는 거네요.

회원 1 이게 부가서비스여서 카드 자체의 약관에 들어 있지도 않아요. 은행 마음대로, 그러니까 카드사 마음대로 갖다 붙여놓은 거예요. 그리고 그냥 막 한도가 올라가요. 쓰지도 않고 몇 년 묵혀놨던 카드인데 카드론 한도가 계속 올라가는 거예요.

회원 3 저 같은 경우는 피해금액이 9000만 원이에요. 기절할 노릇이었어요. 보지도 못한 금액이 그냥 인터넷상으로 숫자놀이 한 게 되는 거예요. 그러면서 저는 빚쟁이가 된 거예요. 카드론을 없애도 또 생겨 있더라고요. 얼마 전에 카드 이메일 명세서를 봤더니 카드론 자체를 없애 달라 했을 때는 카드론 한도가 0이 됐다가 어느새

다시 1000만 원이 돼 있어요.

회원 1 카드론 규제한다고 해놓고 금융감독원이 전혀 감독을 안 해요. 저희 카페회원 400여 명이 한꺼번에 금융감독원에 진정서도 냈어요. 진정서 내고 시위도 하고 그랬는데 한 1년 가까이 몇 번 인터뷰하고 전화도 오고 그러다가 아무런 조치를 안 취하는 겁니다. 현재로서는 방법이 없습니다. 이렇게 마무리하는 거죠. 금융감독원은 절대 소비자 편이 아니에요. 금융기관 편입니다. 모피아가 한통속인 거죠.

제가 국민카드랑 채무부존재 소송을 했어요. 계약 자체가 없다, 이게 계약이라는 것을 인지하지 못했다 그렇게 주장을 했어요. 왜냐하면 아무런 약관도 없었고 제가 그러겠다고 한 적도 없고요. 인지 자체가 없었기 때문에 계약이 부존재라는 소송을 냈는데 1년이 지나서 1심 결과가 나왔는데 패소했어요. 그냥 카드를 만들 때 그걸 알았을 것이라고 추론하더라고요. 제가 처음에 바랐던 거는 원

천무효였거든요. 나는 그런 전화를 해서 돈을 요구한 적이 없기 때문에 그냥 원래의 카드 생활자로 돌아가는 거였어요. 그런데 피해자는 그냥 내버려두고 추심만 계속하다가 지금 언론 같은 데서 좀 나오니까 추심 전화는 안 오는데 이자는 계속 쌓이고 있어요. 추심 전화만 안 해도 좀 살 것 같기는 해요. 처음에는 정말 전화가 하루에도 수십 번씩 득달같이 왔어요.

이혜훈 이자는 얼마나 붙어요?

회원 3 거의 20% 수준이에요.

회원 1 국민행복기금에서 얼마 전에 저한테 통보해 준 거 보면 보이스피싱 당한 게 3000만 원이었는데 지금 4000만 원이 넘은 상태예요.

회원 3 저는 일단 추심이 하도 들어오고 정신적으로 힘드니까, 거의 매일 전화 오고 하니까 두 카드사랑은 그냥 40% 감면해서 합의했어요. 그래서 제가 비용을 내고 있어요. 오히려 피해자가 피해금액을 갚는 상황이 된 거예요. 저도 내 대포통장이 돌고 있다, 범죄자가 아니라면 확인 절차가 필요하다, 금융감독원 사이트에 보안카드를 입력하라는 말을 듣고 그대로 했다가 제 이름으로 9000만 원이라는 돈이 빠져나간 경우거든요. 그 사람들이 공인인증서는 저도 모르게 이미 중국 IP에서 다운을 받아놓았더라고요.

회원 1 한국말이 서툴고 이런 사람들이 전화할 거라는 것은 언론에서 잘못 퍼뜨리는 얘기고요. 정말 친절한 경찰처럼 전화해요. 그리고 이런 것도 있었어요. 너의 정보가 어떻게 새서 대포통장이 만들어졌을 것 같으냐고 물어봐요. 모르겠다고 하면 네이트나 다음의 어느 어느 쇼핑몰 이용하지 않느냐고 물어봐요. 제가 평소에 이용하는 쇼핑몰과 사이트 이름을 다 대는 거예요. 통신사 이런 데가 털렸던 정보가 그런 사기꾼들한테 다 가 있는 거죠.

이혜훈 지난번에 옥션도 당했잖아요. 어쨌든 카드론만 일단 끊어줘도 피해는 상당히 줄겠네요.

회원 1 그렇죠. 카드론 자체가 없으면 보이스피싱 피해가 발생할 수가 없어요. 제 통장에 들어 있는 돈을 빼간 게 아니고 카드론 대출을 빼간 거니까요.

회원 3 그런데 카드사나 금융기관에서는 보이스피싱을 당했다는 걸 알면서도 피해구제에 안 나서고 있어요. 저희들은 지금 채무는 계속 쌓이고 있고, 은행에서는 카드론을 계속 주고 그러거든요.

이런 문제에 대해서 솔직히 카드사도 일부 책임을 져야 되는 거잖아요.

이혜훈 첫째, 고객의 동의 없이 카드론을 절대 부가서비스로 얹지 못하게 하고, 둘째, 보이스피싱 피해를 당했을 때 카드사와 은행도 일정 부분 피해액을 분담하는 제도를 만들어야 카드사들이나 은행들이 본인 확인 절차를 하든지 나름 자기들도 방지 노력을 할 것 같네요.

회원 3 그런데 하나 더 말씀드리고 싶은 거는 공인인증서 자체의 문제도 크다고 봅니다. 이 공인인증서는 본인 동의 없이 외국 IP에서도 다운받을 수 있거든요. 이렇게 공인인증서 갖고 적금을 담보로 대출까지 일으켜서 피해를 당한 경우도 있어요.

회원 1 공인인증서 폐기하자는 얘기들이 지금 전문가 사이에서 많이 나오는데, 우리나라만 이거 쓰고 있잖아요.

회원 3 저는 이 사건 이후로 공인인증서를 안 쓰고 있거든요. 그래서 인터넷상에서 주민등록 등본을 하나 떼려고 해도 공인인증서가 없어서 안 돼요. 저는 그냥 동사무소 가요.

이혜훈 공인인증서 관리를 이렇게 허술하게 하면 안 되는 거 아닌가요?

회원 1 학교에서 교원평가 할 때도 공인인증서로 들어가야 돼요. 이게 금융용하고 이런 식으로 문서 떼는 거하고 분리도 안 돼 있어요. 저는 선생님한테 그냥 종이로 써서 보내요. 그런데 그런 부모 별로 없죠. 다 공인인증서로 하죠. 그런데 그러는 동안에도 금융정보가 도난당할 수 있는 거예요.

카드론 대출, 적금 대출 등 은행 대출 피해가 생긴 건 다 공인인증서 문제라고 할 수 있어요. 은행들은 PC에서 이것저것 다운받다가 해킹 툴이 깔려서 저장돼 있는 공인인증서를 빼간다고 얘기해요. 그렇기 때문에 공인인증서 문제는 고객의 잘못이라고요. 결국 다 개인 책임으로 떠넘기죠.

이혜훈 나는 컴맹이기는 하지만 내가 보이스피싱을 하는 사람이라고 가정하면 내가 왜 대한민국의 어느 구석에 앉아 있는 어떤 아줌마 집 컴퓨터를 해킹하고 앉아 있겠어요? 그래 갖고 어느 세월에 정보를 빼내나요. 그냥 하나를 털어도 국민은행 PC나, 기관망을 털지요. 현대캐피털이나 옥션 같은 곳이 그래서 당한 것 아니겠어요?

회원 1 제가 카페에 와서 보니까 다들 멀쩡한 사람들이 보이스피싱

피해를 당한 경우가 많아요. 그런데도 어디다 말도 못 해요. 가족한테도 못 해요. 가슴앓이만 하는 거죠. 이런 사람들이 표면적으로 나타난 인원만 한 4000명이고요. 한 판사님도 당하셨는데 사회적 지위가 있으니까 말을 못 해요. 아드님이 납치당했다는 소리를 듣고 그날 3000만 원 날리셨대요. 돈 보내고 나서 '아!' 한 거예요.

이혜훈 저도 우리 애가 당할 뻔하는 것을 아슬아슬하게 막은 적 있어요. 애가 같이 밥을 먹고 있는데 옆에서 전화를 받아서는 "주민번호요" 이러면서 불러주려고 하는 거예요. 그래서 "잠깐, 그거 뭔데" 그랬더니 이러저러해서 누가 주민등록번호를 대라고 그런다는 거예요. 그래서 제가 전화를 받아봤더니 어설픈 보이스피싱이에요. 공짜로 폰을 준다고 하면서 주민등록번호를 넣으라고 한 거예요. 그래서 제가 "아, 그래요, 어느 매장이에요, 제가 지금 갈게요" 했더니 전화를 끊어버리더라고요.

금융감독원은 절대 소비자 편이 아니에요.
금융기관 편입니다.
모피아가 한통속인 거죠.

회원 2 법적으로 피해자를 구제할 방법을 찾아야 합니다. 법률적으로 풀기 위해서는 여당이 강하게 압박하지 않으면 어렵거든요.

이혜훈 정책을 바꾸는 거는 새로운 제도를 만들고 해서 바꾸는 거니까 이후의 피해자들이 혜택을 보는 거고 이미 피해를 당하신 분들은 대부분 사법적인 구제밖에 잘 안 돼요. 법률을 소급적용 할 수는 없을 겁니다.

회원 2 하지만 새누리당이 '기존의 카드론 같은 경우는 카드사의 잘못'이라는 원칙을 세워주면 어떨까 싶습니다. 카드론 피해자들 대부분은 갑자기 쓰지도 않은 빚이 생긴 거잖아요. 정확하게 표현하면 카드사도 손해는 안 본 거고요. 그렇게 압박을 하면 카드사들이 일정 부분 사회적으로 책임을 지겠다고 나올 수도 있지 않을까요? 오랫동안 그 카드를 사용해 준 사용자를 전혀 보호하지도 못했는데 카드사가 저희한테 백배사죄를 해도 성이 안 차는데, 지금

완전 죄인 만들어서 언제 빚 갚을 거냐고 그러는 상황이니까요. 소비자는 처음부터 카드론 서비스 자체를 원하지를 않았는데 본인들이 끼워넣은 상품이었잖아요. 소비자가 원하지도 않았는데 카드사가 대출을 해준 거예요. 그런데 그게 왜 100% 소비자 책임입니까. 그건 100% 카드사의 문제죠.

이혜훈 어떻게든 문제를 제기해 보려고 합니다. 카드론 문제하고 카드사 책임 문제인데 이 부분에 대해서는 손실부담을 같이 해야 되는 거 아니냐 이런 얘기를 해봐야겠어요. 여기 피해자분들은 자기 카드 한도가 얼마인지 알고 계셨나요?

회원 3 피해를 당하고 나서야 알았죠. KB국민카드의 경우 카드론 대출이 2500만 원까지, 사용한도는 500만 원까지 돼 있었어요. 신한은행 카드는 거의 쓰지도 않았는데 그것도 카드론 대출한도가 1000만 원이나 돼 있더라고요. 롯데카드도 사용한도는 300만 원인데 1500만 원 카드론 대출됐어요. 하나카드는 사용한도가 100만 원이었고 카드론으로 피해를 당한 금액은 500만 원, 은행 예금도 4000만 원 정도 털어갔고요. 카페 회원들 중에는 전세금을 날리신 분도 있으니 말 다했죠.

금융감독원의 지시도 위의 대통령이나 국회의원들이 하시는 거 아닌가, 그렇다면 결론적으로 이 나라는 국민들 개개인의 재산을 못 지켜줘, 너희가 각자 알아서 지켜라 하고 말하는 것밖에 안 되는 거 아닌가 하는 생각이 들어요. 나라 경제를 위해서 저축하라고 하면서 은행에다가 돈을 맡기면 이 돈에 대해서 보호는 해줘야 되는데, 당연히 은행이 해야 되고 국가가 해야 될 몫을 지금 안 하고 있는 거 아닙니까. 그래서 저희들이 힘든 거고요. 모든 국민들이 다 느끼는 이런 부분에 대해서 왜 정말 위에 있는 대통령이 그걸 모르시냐는 거죠. 그것만 지키면 은행이나 카드사 문제도 저절로 해법이 나오지 않을까요?

이혜훈 보이스피싱, 카드론 문제, 금융의 기본인 신뢰를 무너뜨리는 행위 이런 것에 대해서는 정말 근절 대책을 내놓고 은행 등 금융기관들의 책임을 좀더 엄중하게 묻는 방향으로 정책을 만들어보겠습니다.

보이스피싱으로 인한 금융피해자 모임 보이스피싱, 파밍 등의 전자금융 사기로 피해를 당한 금융피해자들의 모임으로 2011년 9월 9일 다음 카페(cafe.naver.com/pax1004)를 열어 정보 공유, 진정서 제출 등 피해 구제를 위한 활동을 하고 있다.

우리가 왜 정치를 하는데요!

지은이 이혜훈

1판 1쇄 인쇄 2014. 1. 13
1판 1쇄 발행 2014. 1. 18

펴낸곳 예 · 지
펴낸이 김종욱
책임편집 황경주

등록번호 제1-2893호
등록일자 2001. 7. 23
주소 경기도 고양시 일산동구 호수로 662
전화 031-900-8061(마케팅), 8060(편집)
팩스 031-900-8062
전자우편 yejibk@gmail.com
트위터 @yejibooks
페이스북 Yeji Buk

편집디자인 신성기획
종이 영은페이퍼
인쇄 제본 서정문화인쇄사

Published by Wisdom Publishing, Co.
Printed in Korea.

ISBN 978-89-89797-88-3 03040

이 도서의 국립중앙도서관 출판시도서목록(CIP)은 서지정보유통지원시스템 홈페이지(http://seoji.nl.go.kr)와 국가자료공동목록시스템(http://www.nl.go.kr/kolisnet)에서 이용하실 수 있습니다.(CIP제어번호: CIP2014000891)

예 지 의 책은 오늘보다 나은 내일을 위한 선택입니다.